御所野遺跡ものがたり

高田和徳
挿絵　やましたこうへい

同成社

はじめに

あなたは、御所野遺跡をご存じでしたか？

私は御所野遺跡の発見から、発掘調査と史跡公園整備、そして「北海道・北東北の縄文遺跡群」のひとつとして世界遺産に登録されるまでの一連の歩みに関わってきました。その経験をもとにして、本書では御所野遺跡の重要な発見や、考古学研究のおもしろい成果を、わかりやすくご紹介したいと思います。

御所野遺跡は、平成のはじまりである1989年に工業団地の造成に先だつ発掘調査で発見されました。最初に縄文時代のストーンサークルが見つかり、その後に住居跡などが次々とあらわれ、縄文時代の貴重な遺跡だということが明らかになりました。このまま遺跡を破壊して工業団地をつくるのか、それとも遺跡を守るのかという大きな社会問題になりましたが、地域住民の熱心な支援もあって、遺跡は保存され、史跡公園として整備したところ、その重要性が評価されて2021（令和3）年、「北海道・北東北の縄文遺跡群」のひとつとして世界遺産に登録されました。

御所野遺跡が注目された点はたくさんありますが、ここでは以下の三つを紹介します。

1）墓を中心として東西に広がる縄文時代の大集落跡で、そのほとんどが保存されていること。

2）縄文時代の土屋根住居が確認され、それを実験などで検証していること。

3）周辺環境も含めた遺跡復元の取り組みが広く評価されている

こと。

そして、それとともに重要なことは、御所野遺跡には、ボランティアをはじめ多くの方々が長年にわたって支えてくださったということです。

ここではこのようにたくさんの魅力があふれている御所野遺跡を紹介します。本書を読んでくださった後には、ぜひ一度、御所野遺跡を実際に訪ねていただき、御所野遺跡に立って、縄文人が見た風景やその生活の様子を体感していただけたなら、うれしく思います。

2024年6月

いちのへ文化・芸術NPO代表理事
御所野縄文博物館　前館長
高田和徳

目次 CONTENS

1章 御所野ムラを発見！

御所野遺跡発見！

御所野に遺跡があるということは早くから知られていました。土器や石器のかけらが散らばり、かつては雨上がりに子供たちが競って矢じり探しに来ていたといいます。ここに工業団地をつくるという計画がもちあがり、工事の前に発掘調査をすることになりました。

最初に遺跡の中央で南北に連なる18基の古墳が見つかりました。そのまま一段低くなっていた北側まで掘り進めたところ、今度は大きな石とともに、川原石を一定の形に並べた組石がいくつも出てきました。組石のなかには径3〜5ｍ前後にまとまっているものがあり、考古学では配石（はいせき）遺構と呼んでいます。配石遺構のなかにはそばに1ｍ近い巨石が横たわっているものもありました。このような石はもともとは立っていたと思われます。

配石遺構の広がりを確認するために、さらに掘り進めたところ、全体が環状になり、方形、あるいは楕円形の東西に長いストーンサークルだということがわかりました。このような配石遺構のまわりから縄文時代中期の土器片がいくつも発見されたことから、縄文時代中期の配石遺構群と発表したところ、「国内最古の配石墓群」という見出しで地元紙が一面トップで取り上げたこともあり、蜂の巣をついたような騒ぎとなりました。翌日の現地説明会では、小雨が降るなか、当時としては異例の600人を超える人々が参加しました。

貴重な遺跡が発見されたことで、遺跡を保存するか、予定通り工業団地として開発するのかということが地域の課題となりました。さっそく12月の町議会に遺跡保存の請願が出されると、翌年の3

月には工業団地として開発するようにという請願が出されるなど、遺跡の保存をめぐって町はしばらく揺れました。

遺跡には連日のように多くの人が訪れ、調査後の説明会や急きょ開催した「ストーンサークル展」なども見学者で賑わうなど、遺跡への関心はますます高まってきました。

発掘調査は継続しており、翌年に遺跡の東側、翌々年に西側を調査したところ、いずれも竪穴建物跡などが確認され、遺跡が御所野の全域に広がっていることが確認されました。この調査の結果を受けて町議会では遺跡保存の請願を採択し、最終的には町長が判断して遺跡は正式に保存されることになったのです。こうしてストーンサークルを中心とした縄文時代の集落の全体像が明らかになり、遺跡のほぼ全域が保存されたことで、御所野遺跡は縄文時代の文化を語る上で欠かせない重要な遺跡として1993（平成5）年に国指定史跡となりました。遺跡が発見されてからわずか4年という異例の早さでした。

図1 上空から見た発見当時の御所野遺跡

御所野遺跡はこんなところ

遺跡は馬淵川の東岸の幅150ｍ、長さ500ｍの東西に突き出た小高い台地の上にあります。南北両側はそれぞれ20ｍ以上の崖となっており、その下を根反川、地切川が流れ、その先で馬淵川に合流しています。遺跡の東側は緩やかな丘陵となっており、そのまま山地へと続きます。御所野遺跡の周辺はこのように変化に富んだ地形が多く、そこにはいろいろな樹木が生えています。落葉広葉樹が多く、川から続く崖下にはクルミやカツラ、崖上の台地にはケヤキ、クリ、トチノキ、ウルシ、東側の丘陵から山地にかけては、クリ、コナラ、ミズナラ、ホウノキ、ミズキなどが生えています。落葉広葉樹とともに蔓(つる)の多いのもひとつの特徴となっています。このような樹木には、マタタビ、サルナシ、ヤマブドウ、フジヅル、アケビなどが絡まっています。樹木にからまる蔓はそれぞれ生える場所が微妙に異なっており、北側の急な崖にはマタタビ、その上の崖際にはアケビやヤマブドウ、道のそばには葛などが生えています。変化に富んだ地形が多いということでそれだけ植物の種類も多くなっているようです。

このような変化に富んだ地形のためか、古くから地すべりが多かったようで、御所野遺跡の周辺にはその痕跡が多く見つかっています。土地が動くと植生も大きく変わります。とりわけクルミやトチノキなど、水を好む樹木が増えるといわれており、御所野遺跡の周辺には縄文人が食糧とした木の実をつける木が多く生えていた可能性があります。

このように周辺は地すべり地帯だったにもかかわらず、御所野遺

図2　上空から見た現在の御所野遺跡

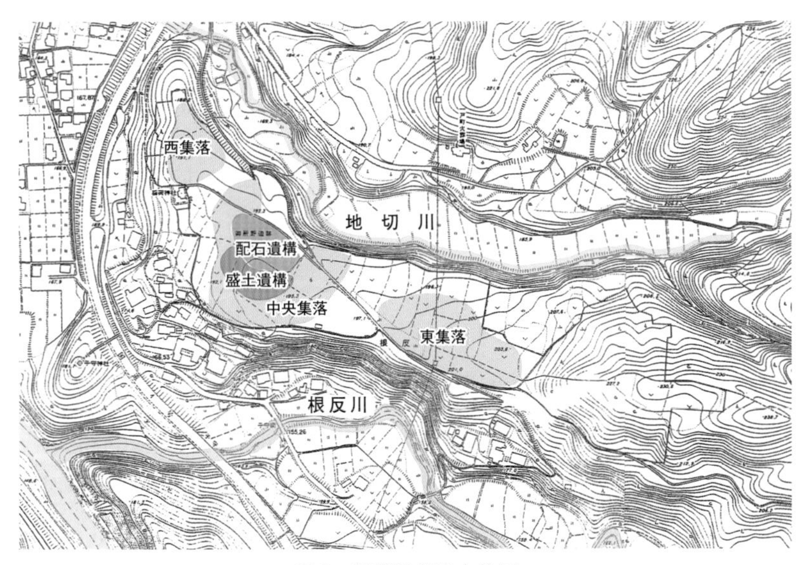

図3　御所野遺跡全体図

図4　復元された西側の竪穴住居

図5　復元された土屋根住居と掘立柱建物

跡にはその痕跡がありません。縄文人は御所野の地盤が安定していることを知っていてここに家を建て、その周辺にたくさん生えていたクリ、クルミ、トチノキなどの木の実を利用していたのかもしれません。

縄文時代の文化圏のはなし

一万年以上続いた縄文時代は、地域と時期によってそれぞれ文化の内容が少しずつ異なっていました。最もわかりやすいのは土器で、その特徴から土器型式が設定されています。御所野遺跡の時代である縄文時代中期には、青森県を中心として岩手県と秋田県の北部から北海道の南部にかけては円筒式土器（えんとうしきどき）という特徴的な土器がつくられていました。円筒式土器がつくられた地域は円筒式土器文化圏と呼ばれています。縄文時代前期中頃（5,900年前）から中期中頃（4,500年前）まで続いており、土器だけでなく、独自の石器がつくられ、ムラづくりや家づくりにも特徴があり、縄文文化のなかでもかなり個性的な文化だったと考えられています。

ところで北東北のほぼ真ん中にある十和田湖はカルデラ湖で、火山の噴火によってできた湖ですが、5,900年前、縄文時代前期中頃に大きく爆発しています。その直後に遺跡が一気に増えることから、この噴火を契機として円筒土器文化が成立したのではないかと考える研究者もいます。

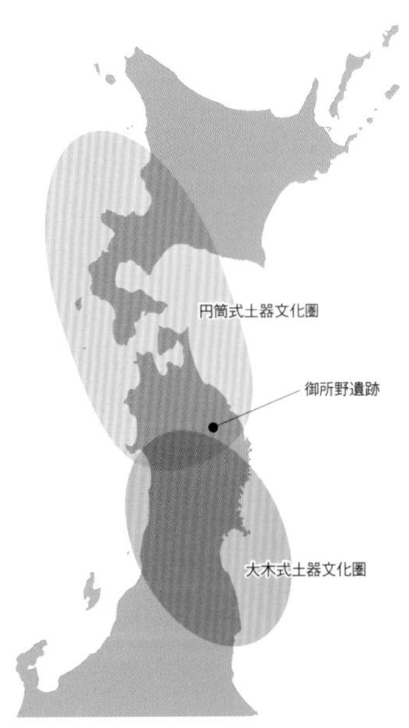

図6　円筒式土器文化圏と大木式土器文化圏

同じ頃、東北南部では、宮城県の大木囲（だいぎがこい）貝塚から出土した土器を標識とする大木（だいぎ）式土器

図7　御所野遺跡から出土した円筒式土器

図8　御所野遺跡から出土した大木式土器

が、仙台湾を中心として、北は岩手県の岩手町周辺から南は福島県南部まで広がっており、大木式土器文化圏と呼ばれています。

御所野遺跡は北の円筒式土器文化圏内の遺跡ですが、南の文化圏に隣接していることから大木式土器も出土しており、しだいにその影響を強く受けた土器がつくられるようになります。土器だけではなく、ムラも大きく変わり、墓を中心として竪穴住居が環状にめぐります（環状集落）。このように北上した、南の文化の影響を受けたこの地域独特の文化がはじまりました。

ムラのうつりかわり

御所野遺跡は5,000年前にはじまり、4,200前まで800年続きました。ここではその間のムラのうつりかわりを紹介します。御所野遺跡の縄文ムラは、西側の崖下にある馬場平からはじまりました。その後一段高い御所野へと広がり、墓を中心とした大きなムラがつくられます。やがてムラはまわりに分散しますが、墓はそのまま残ることから、御所野はこの分散したムラに住んだ人達の共同墓地・祈りの場となったようです。大きなムラだった御所野遺跡は、墓だけの特別な場所になったのです。このようなムラのうつりかわりを説明するために、出土した土器や遺物の年代測定から御所野ムラの時期をⅠ～Ⅴ期のように区分しました。

Ⅰ期（ムラのはじまり）

御所野ムラは馬場平からはじまりました。馬場平では竪穴住居跡を1棟調査しています。直径4m前後の中型の竪穴住居で、入口の下に土器が埋められていました。この時期の年代は測定する資料がないためまだわかっていません。

Ⅱ期（北の文化圏　5,000 年～ 4,800 年前）

馬場平で長さ 12 m 以上の大型の竪穴住居を中心として、中・小型の竪穴住居が 4～6 棟という組み合わせを確認しています。中央に大型、その両側に中・小型の竪穴住居が横に長く分布しています。このように横に連なる集落のつくりかたは、北の文化圏の特徴です。大型の竪穴住居は同じ場所で 6 回確実に建て替えられており、ここでは建物を繰り返し建てていたようです。Ⅱ期の大型竪穴住居は、御所野遺跡の東、中央、西にあって、その周辺に中・小型の竪穴住居もあることから、ほぼ同じ時期に御所野遺跡でも竪穴住居がつくられていたようです。

Ⅲ期（南の文化圏の影響　4,800 年～ 4,700 年前）

御所野ムラが大きく変わりました。御所野の中央部北側を広く削り、削った土を南側に高く盛るなど、大がかりな土木工事が 2 回行われました。北側の削られたところは墓地となり、中央を広場としてそのまわりに墓が環状に分布しています。この墓を中心として、それを囲むように東西から南側にかけて竪穴住居跡が密集しており、北側をのぞいた環状集落（馬蹄形集落）となります。このような墓を中心とした環状集落は南の文化圏からの強い影響と考えられています。

Ⅳ期（墓を中心としたムラ　4,700 年～ 4,500 年前）

墓は同じ場所につくられ、その東側のクリ林の下に大型の竪穴住居がいくつも重複して見つかりました。中央部から離れた東と西でもⅣ期の大型の竪穴住居と中・小型の竪穴住居のまとまりがあります。興味深いのは、それぞれの建物の入口がいずれも中央を向いているということです。すなわち東側では西、西側では東の方向が入

Ⅰ期

~5,000 年以前

ムラのはじまり

御所野ムラは馬場平ムラから
はじまりました。この時代の
年代についてはまだ不明。

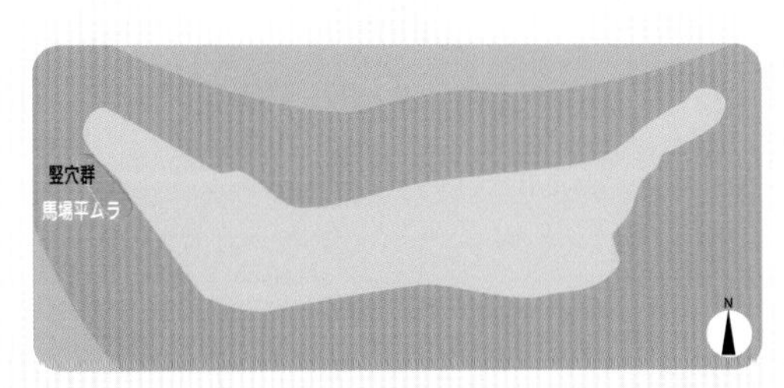

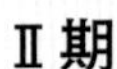

Ⅱ期

5,000 年~ 4,800 年前

ムラは北の文化圏

横に配置された竪穴住居が
集落として横に分布する。
北の文化圏特有のもの。

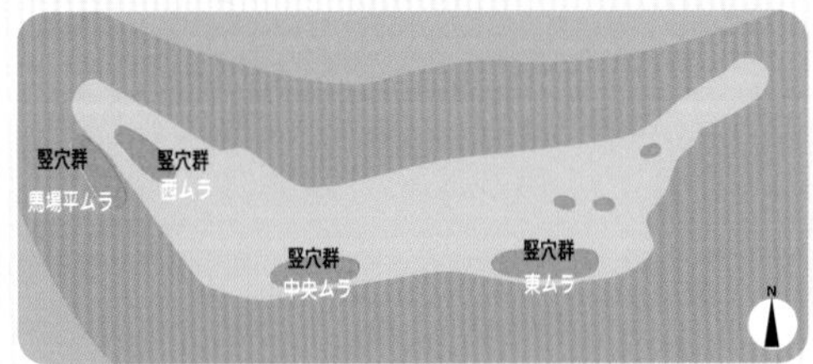

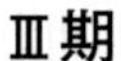

Ⅲ期

4,800 年~ 4,700 年前

ムラは南の文化圏

北側の土を南側に盛る工事。
墓を中心とした環状集落は
南の文化圏からの強い影響。

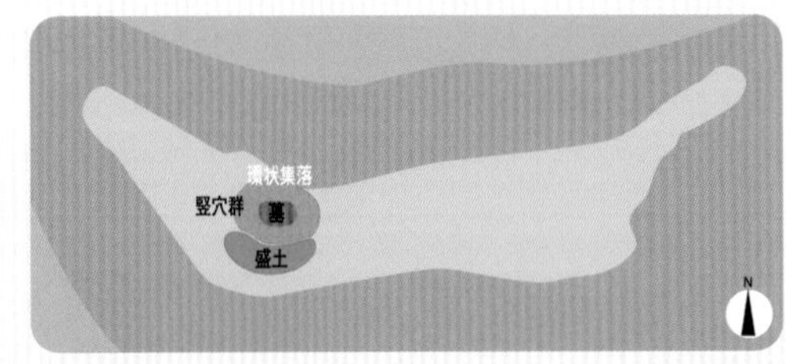

Ⅳ期

4,700 年~ 4,500 年前

墓を中心としたムラ

中央の墓を意識して
竪穴住居が東西に分布した
竪穴住居の入口も中央を向く。

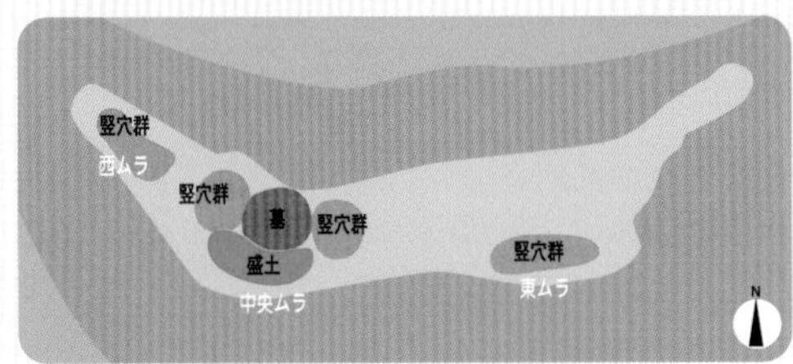

Ⅴ期

4,500 年~ 4,200 年前

ストーンサークルの誕生

墓域を中心にして北と西に
おそよ直径 2km の範囲に
ムラが分散する。

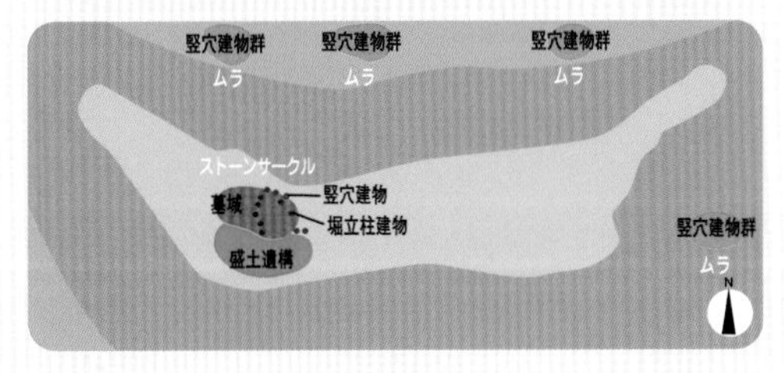

図 9 御所野遺跡のうつりかわり

口となっています。建物の入口がいずれも中央を向いていることから、御所野ムラは中央の墓を意識してつくられていることがわかります。

V期（ストーンサークルの誕生　4,500年～4,200前）

御所野遺跡に集中していた集落はまわりの丘や谷を挟んだ北側の田中地区や馬淵川の対岸の大平地区など、御所野遺跡を中心として北と西のおおよそ直径2kmの範囲にムラが分散します。このような集落の分散に伴って配石遺構群、すなわちストーンサークルが構築されたと考えられています。配石遺構群の外側には大小の柱穴がいくつも見つかっていますが、これらは掘立柱建物や木柱などの痕跡で、配石遺構とともにつくられた施設と考えられます。

コラム1　1万年もつづいた縄文時代

今から15,000年前から1万年以上続いたのが縄文時代です。寒さの厳しい氷河期が終わって、少しずつ暖かくなり始めた頃、縄文時代がはじまりました。温暖化とともに気候が安定してくると、木の実などの実りをもたらす落葉広葉樹林が東日本全体に広がります。それに呼応するように、当初は九州の南部に多かった遺跡が、しだいに西日本、東日本へと広がっていく様子が発掘調査で確認されています。

落葉広葉樹林は中部高地など、標高1,000m以上の高地に広がっていましたが、北上するにしたがって低地にも分布するようになります。なかでも北海道南部と東北北部は、青森県を中心として、秋田県と岩手県の北部では、豊かな森の恵みが身近にあることから縄文遺跡が最も多い地域となっています（冷温帯落葉広葉樹林）。この地域では6,000年ほど前から津軽海峡を中心とした独特な縄文文化が形成され、大規模な遺跡がいくつ

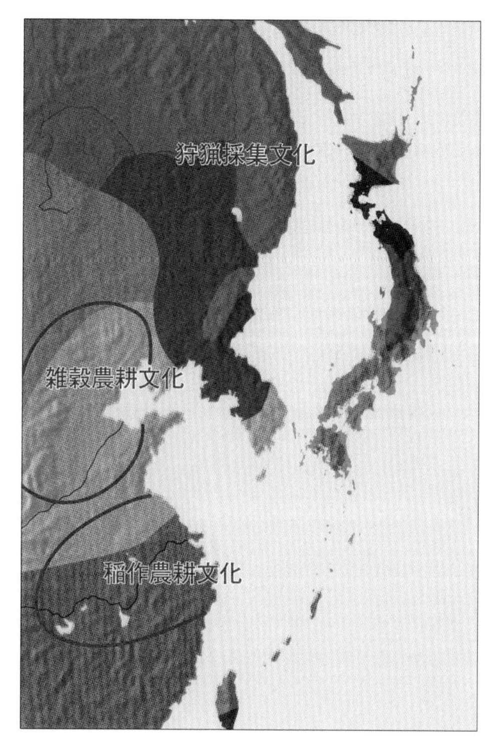

亜寒帯針葉樹林
冷温帯落葉広葉樹林
温帯落葉広葉樹林
暖温帯落葉広葉樹林
温帯常緑広葉樹林
草原

日本列島と北東アジアの狩猟採集文化（北海道新聞・北海道博物館　2023 を改変）
＊雑穀農耕文化、稲作農耕文化以外の地域は狩猟採集文化

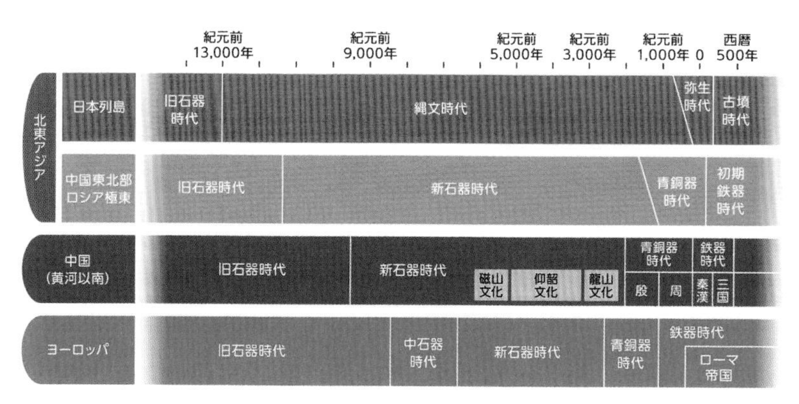

世界史の中の縄文時代

も発見されています。そのひとつが縄文中期に栄えた御所野遺跡です。

狩猟採集社会として長く続いた縄文時代ですが、その後、気候の寒冷化とともに縄文社会は大きく変わり、精神的なつながりがより一層強まる社会となります。

縄文時代につくられたさまざまな土器

2章 縄文人が住んだ家

土屋根住居の発見

これまで考古学では、縄文時代の家は地面に掘り込んだ竪穴式で屋根は茅葺きと考えられていました。ところが御所野遺跡の調査で土屋根の竪穴住居跡が確認できました。きっかけは中型の竪穴住居の調査でした。竪穴住居を掘り下げたところ、炭化材（焼けた材木）がたくさん見つかり、その下がやや硬くなっていたこともあってそろそろ床面だろうということで掘り進めたところ、ひとりの作業員の足が20～30 cmほど下に落ちてしまったのです。あわててなかをのぞいたところ、大きな炭化材がいくつも良好な形で残っていました。つまり硬い面を挟んでその上下に炭化した材や焼土がそのまま残っていたのです。床面と考えた硬い面は屋根土だったのです。この時はじめて土屋根が具体的に確認できました。

炭化材をくわしく調べたところ、中央から奥は割れた小片が多く、その外側から壁際にかけて大きな材が斜めに浮いた状態で残っていました。割れた小片は床に張り付いた状態なのに対して、大きめの材は壁に近づくにつれて高く盛り上がっています。最初に中央部の屋根が土もろとも落ちて、その後、竪穴の外から中央にかけて放射状に組まれたサス（屋根の下地となる材）が崩れ落ちたのでしょうか。出土した炭化材の大半は屋根材と考えられますが、なかには壁に貼り付いた割板材が2カ所で見つかりました。おそらく壁を保護した土留め用の板と思われます。

続けて大型竪穴住居跡を調査しました。ほぼ全域から炭化材と焼けた土が上下に重なった状態で出土しており、今までに例のない保存状態の良い焼失住居跡でした。中型の住居跡で土屋根を確認して

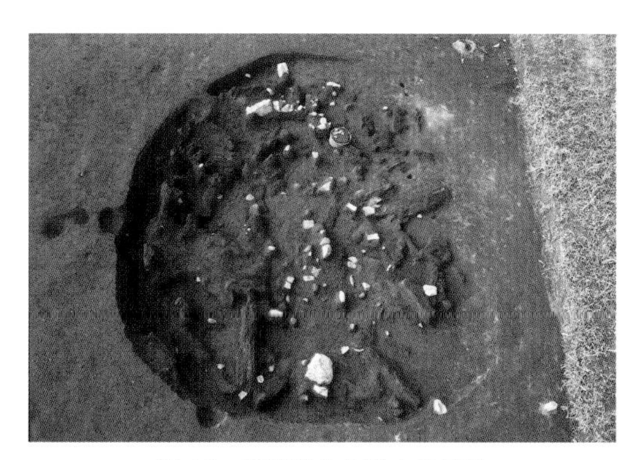

図 10　焼け落ちた竪穴住居跡

図 11　折り重なる炭化材と焼土

図 12　炭化材を取り上げた後の竪穴住居跡

図 13　焼け落ちた大型竪穴住居跡

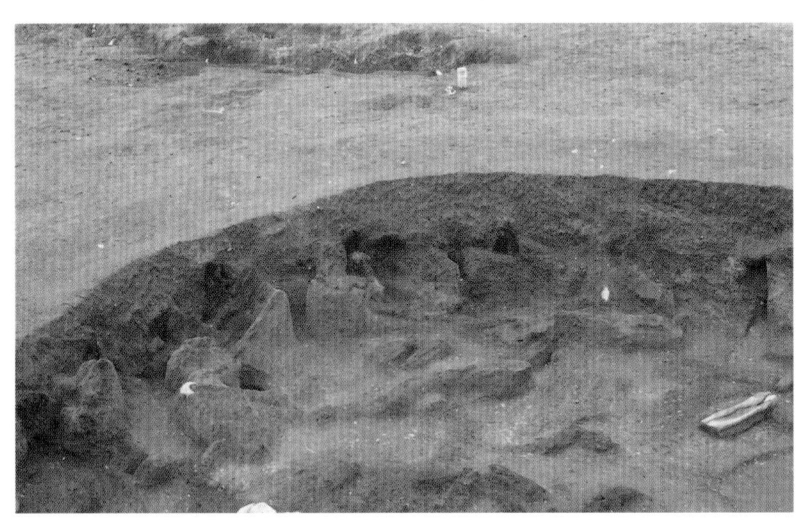

図 14　壁際に並列して出土した割板材

図 15　石斧で木を伐採する実験

図 16　縄文時代の道具をつかって割板をつくる実験

いたこともあって、炭化材と焼土を層毎に分類して、焼け落ちた過程を想定しながら掘り下げており、具体的に土屋根の構造を確認することができました。

出土した炭化材は中型の竪穴住居跡と同じように、竪穴の中央に小さく割れた材が床の上に散らばり、その上に壁際から中央へ太めの材が斜めに入りこんでいました。驚いたことに壁際で、直立した炭化材が内側にやや傾いた状態で連続して出てきたのです。中型の住居跡でも確認した土留め用の割板材でした。中型の竪穴住居跡では1 cmほどの薄い板材でしたが、大型では3〜5 cmとかなり厚くなっています。これは割板材の長さと関係がありそうです。中型の場合は、竪穴の深さは最も深いところで35 cmなのに対して、大型では70 cmと倍近くになることから、実際はそれぞれ50 cm、100 cm以上になると思われます。そのため大型の場合、壁を押さえるためには一定の強度が必要なため厚くて長い割板材が必要だったと思われます。それとともに長い材を確保するためには、厚めに割らないと作れないことを確認しています。

クリの木で家をつくる

焼けた中型の竪穴住居跡から出土した炭化材250点のうち125点で樹種を調べました。クリが圧倒的に多く75%を占め、そのほかはオニグルミ、ケヤキ、ヤマグワなどの落葉広葉樹でした。なお茅葺きを示すような草本類は全く出土しませんでした。

大型の竪穴住居では800点ほどの炭化材が出土していますが、そのうち500点を調べたところ、86%がクリで、そのほかオニグルミ、サクラ、トチノキ、コナラ、キハダ、ウルシなどでした。

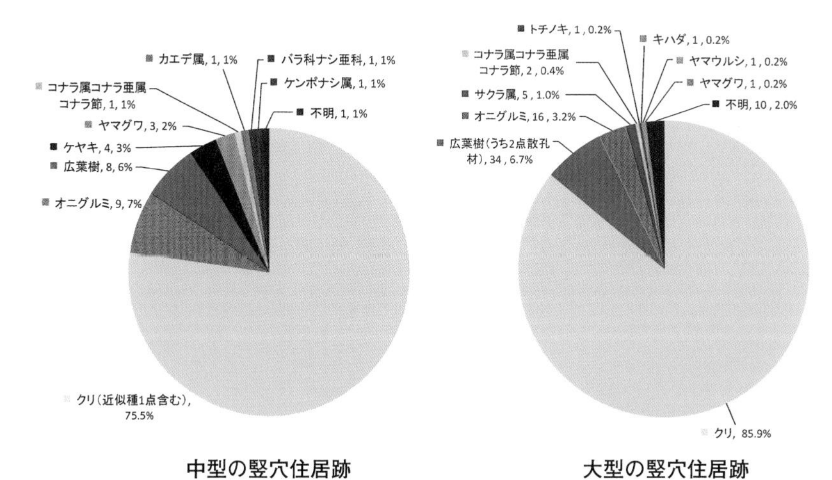

図 17　竪穴住居の建築材の樹種（一戸町教育委員会　2015）

いずれの竪穴でもクリに次いで多いのがオニグルミで、中型では9%、大型では16%となっています。

御所野遺跡ではほかにも焼けた住居跡を調査していますが、いずれも落葉広葉樹で、現在御所野遺跡で生えている樹木でした。なかでもクリが圧倒的に多くなっています。このことから御所野遺跡の現在の植生は、一部を除いて縄文時代にきわめて近かったことをあらわしています。

コラム２　縄文人のこだわり

御所野遺跡で見つかった焼けた建物の木材を調べたところ、大半がクリの木だということがわかりました。焼けた住居跡は、25 棟見つかっていますが、建物の規模にかかわらずクリの木が使われていました。このように建物の木材としてクリを使うのは、御所野遺跡だけでなく、縄文時代前期以降の各地の遺跡でも同じようです。

縄文人はなぜクリにこだわったのでしょうか。ひとつは建物が土の中に掘られていることと関係があるのかもしれません。木材は土のなかでは腐りやすいですが、抗菌作用のあるタンニンを多く含むクリの木は、土の中でも腐りにくかったようです。このことは御所野遺跡で伐採した木を水に入れたところ、水が真っ黒になったことで確認できました。水が黒くなるほどクリには多くのタンニンが含まれているのです。

縄文人には人気のクリの木ですが、奈良時代から平安時代になると、人々は必ずしもクリにはこだわらなかったようです。御所野遺跡で見つかった平安時代の竪穴住居では、湿地に生えるヤチダモ、クマヤナギなどを使っており、そのほかの遺跡でもコナラのほかカツラ、サクラ、ケヤキ、シナなど、周辺にあるさまざまな樹木を利用していたことがわかっています。クリの木の住まいは、縄文人のこだわりだったようです。

家を復元して土屋根を検証する

御所野遺跡の竪穴住居跡は草葺き屋根ではなく、土屋根の可能性が高いことが発掘調査で確認できたので、それを確かめるために土屋根の建物を実験的に復元することにしました。最初は土屋根そのものを検証することが目的でしたが（検証1)、2回目は縄文時代の遺跡から出土した木製品のなかで、竪穴住居の建設で使われた可能性のある縄文時代の道具を使い（検証2)、建築材料の数量も調査しました（検証3)。なお1回目の復元は一戸町教育委員会、2・3回目の復元は東京都立大学がそれぞれ中心となって行っています。いずれの実験でも竪穴の発掘調査に参加して炭化材の出土状態などをつぶさに記録していただいた建築史の専門家である浅川滋男さんと西山和宏さんが作成した図面（パース）をもとに復元しました。

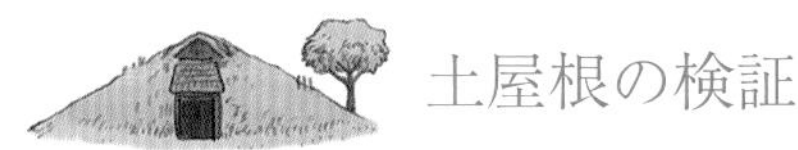

土屋根の検証

最初の実験で確認したかったのは、屋根の傾きとそこにのせる土の種類、さらに竪穴内の住まいとしての環境などです。屋根の傾きはおおよそ35度程度で安定したのでそのように報告しましたが、その後の建設や修復などで再度確認したところ、それより勾配が急でも土が崩れることはありませんでした。屋根土は黒色土と褐色ローム（火山灰起源の赤い土）で比較したところ、褐色ロームの方が適していることが確認できました。竪穴のなかは、そのままでは湿度はやや高いものの、真夏には蒸し暑い屋外より快適で、冬でも火をちょっと燃やすだけで快適な空間になりました。一般的に土屋根住居は真夏には不向きで、冬の家ではないかと考えられていまし

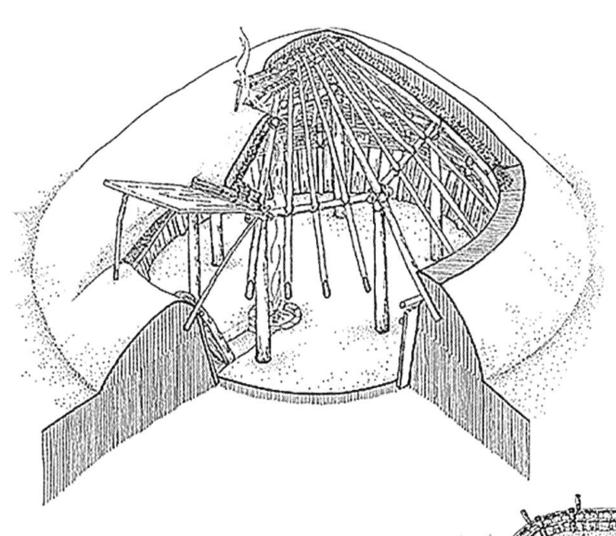

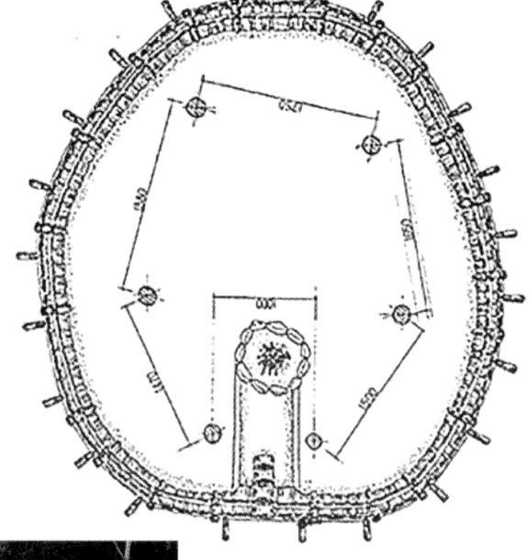

図 18　竪穴建物跡（中型竪穴住居跡）の復元パース（上）と平面図（右）（一戸町教育委員会　2003）

図 19　竪穴住居の掘り下げ

図 20　柱と梁（はり）・桁（けた）の組みたて

図 21　屋根の下地づくり

図 22　土屋根住居の完成

たが、冬以外でも快適に過ごせることが確認できました。御所野遺跡で復元した土屋根住居は建築後20年以上経過しましたが、その間に行なわれたいろいろな活動でも土屋根竪穴住居の快適さは裏づけられています。

道具の検証

1回目は現代のスコップなどを使って復元しましたが、次には縄文時代の遺跡から出土した木製品のなかで、竪穴住居の建設で実際に使ったと考えられる道具を作成し、それで復元しました。道具は、鋤、鍬、掘り棒、箕などで、それぞれ鋤や鍬で竪穴を掘削し、周堤（竪穴の縁にめぐらされた土盛り）をつくり、屋根を組んでから土をのせています。実験では現代の道具を使うより3.5倍ほど多く時間がかかりましたが、遺跡から出土した木製品（複製品）だけできちんと建てることができました。

ところで東京都立大学でひとまわり小さい竪穴住居を復元していますが、1〜2週間後竪穴の壁が突然崩落してしまいました。竪穴をつくってから中が乾燥してしまい土壁が維持できなくなったのです。竪穴の壁は土を掘り込んだだけでは維持ができず、割板などで支えなければならないことがわかりました。

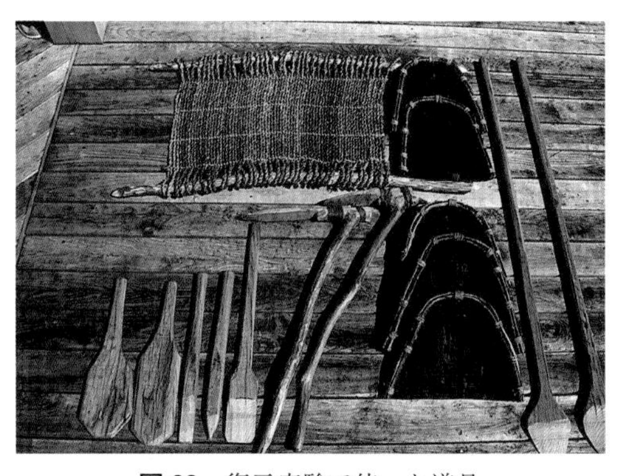

図23 復元実験で使った道具

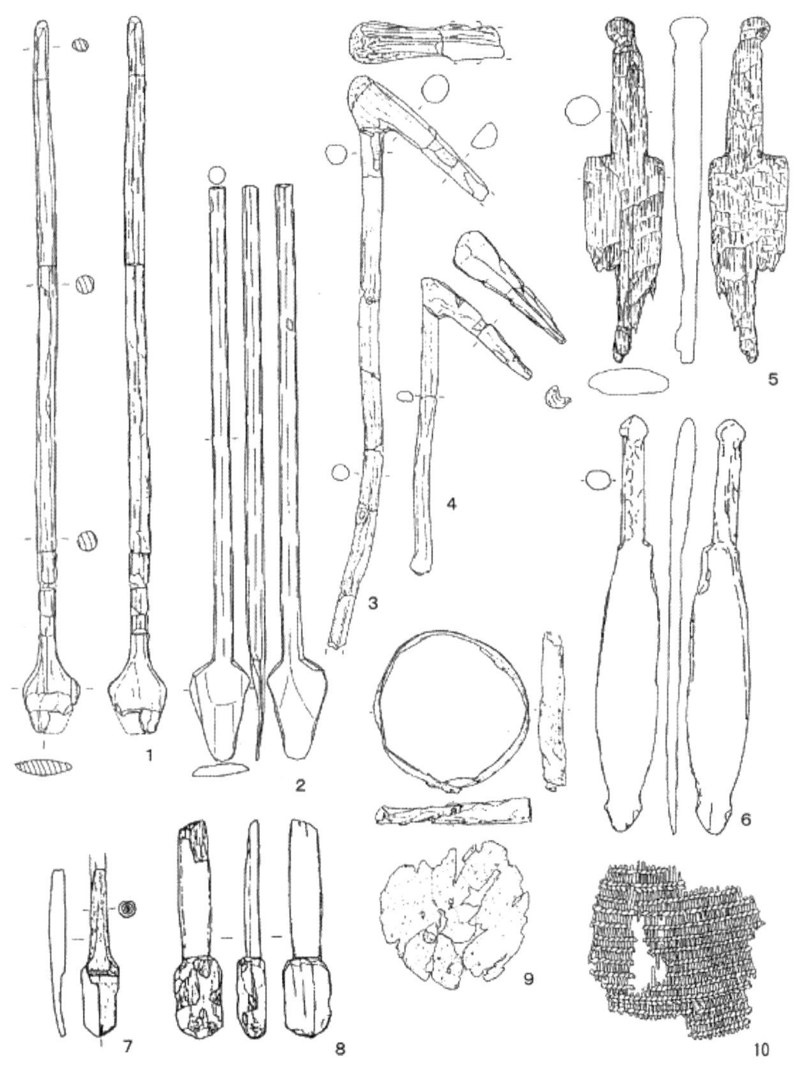

図 24　遺跡から出土した縄文時代の木製品。これらを参考にして竪穴住居復元実験でつかった道具を再現した。
1：鋤　2：鋤　3：柄　4：柄　5：鍬身　6：鍬身　7：小型鋤　8：掘り棒
9：曲げ物容器　10：編み物（山田　2000）

建築材の量を検証する

竪穴１棟を建てるのに木がどの程度必要でしょうか。都立大学の復元実験で調査しました。直径５×４m、床面積14㎡の竪穴建物を軸組（じくぐみ）、小屋組、屋根、入口、その他にわけると、軸組の場合は柱・桁・小屋組みではサス・棟木・モヤ、屋根では垂木・エツリ・樹皮、入口施設にも柱・垂木・エツリが必要ですし、竪穴の壁は割板で押さえなければなりません。以上の材の面積を計算して、切口20 cmの樹木に換算したところ、樹高20 cmの木が31本必要でした。木材のほかに、建物では必ず必要な縄についても具体的な数量をはじき出しました。事前にシナノキの樹皮で作成した100 mの束を14個用意しましたが、５束残ったので９束使用したことになります。これを樹木に換算すると直径20 cm、高さ20 m以上のシナノキを５本使用したことになります。

図25　復元実験で使用した竪穴住居１棟分の材料

土屋根住居は春先に傷む

復元した竪穴建物は建設後の3年間はさほど問題もありませんでしたが、しだいに雨漏りがするようになり、カビが生えて傷んできました。なかには屋根の下地となるサスや小舞(こまい)・垂木などが腐食して中途で折れてしまうものもありました。そのため建設から10年後に屋根土を剥いでその下地を全面的に改修しています。

傷んでいる箇所の現状を記録するとともに、その原因を探るため1年かけて傷んだ状況を継続して調査しました。その結果、屋根が最も傷むのは雪解け時期の3月だということがわかりました。この時期は御所野遺跡でも雪が解けはじめ、各竪穴の屋根に部分的に雪が残るようになります。その場合、北側の屋根だけが残り、南側はほぼ溶けて土も乾燥してしまいます。この雪の残った屋根が最初に

図26 屋根の雪下ろし

図 27　土屋根のたたきしめ作業

傷むということがわかりました。3月は昼と夜の寒暖差が激しく、昼は暖かくなり解けた水が屋根に浸みこみ、夕方からは温度が下がるため滲み込んだ水が凍ってしまいます。このようなことが毎日繰り返されることから、次第に屋根の土がぼろぼろになつてしまい、春さきの雨がそのまま屋根に入り、屋根を支えている木材が腐食してしまうということがわかりました。

その対策として考えたのが屋根の雪おろしと乾燥する直前の屋根土の叩き締めです。今では御所野遺跡の年中行事として毎年実施しているので竪穴住居は以前のように痛まなくなりました。いずれにしろ縄文時代の施設は自然の変化にあわせた対応する必要があるようです。同じような作業は縄文人も行っていたと思われます。

3章 土器と石器のはなし

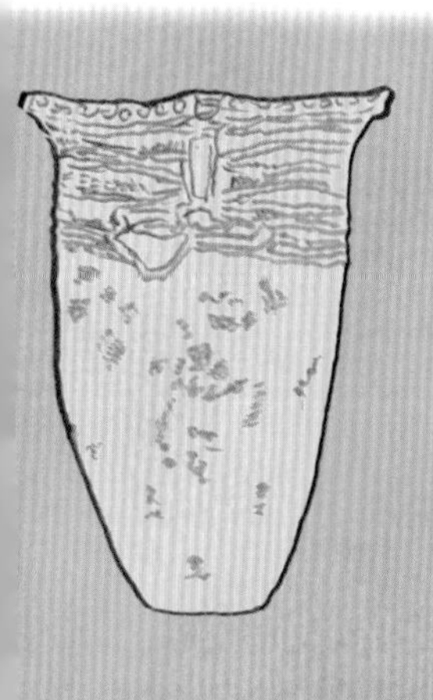

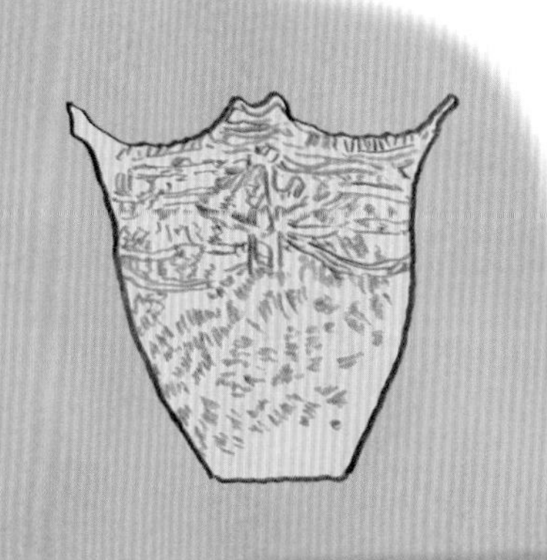

円筒式土器

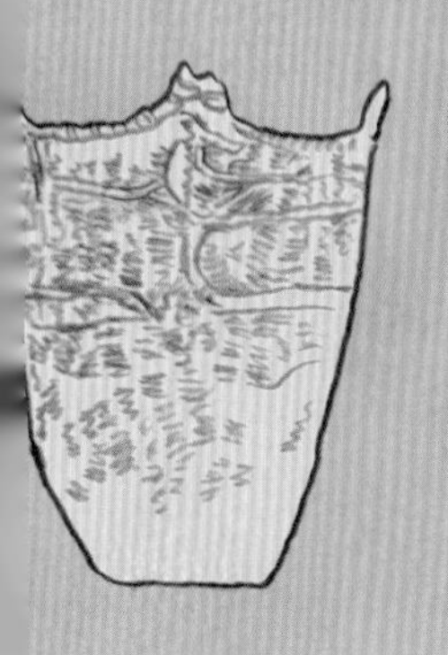

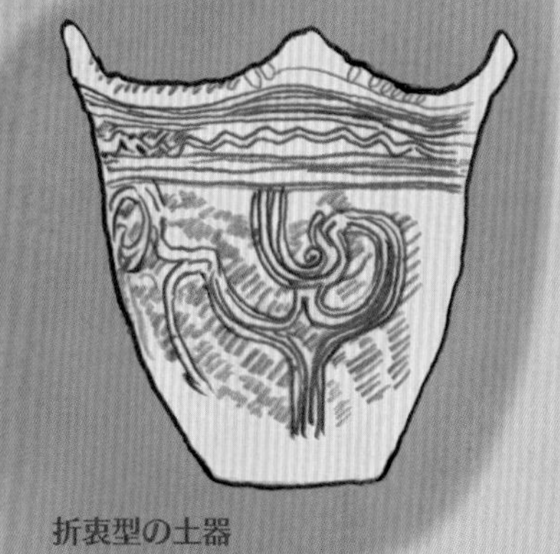

折衷型の土器

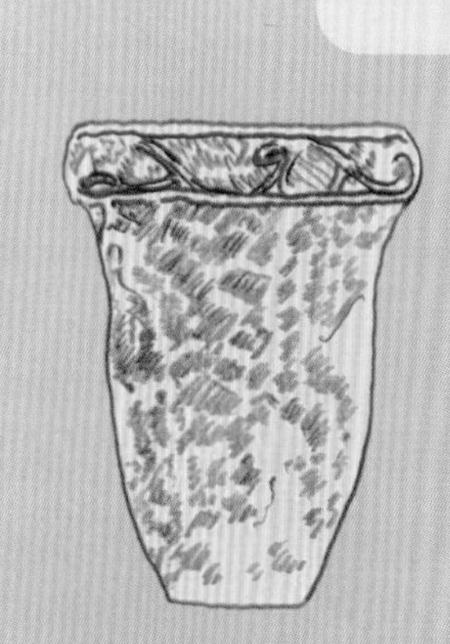

大木式土器

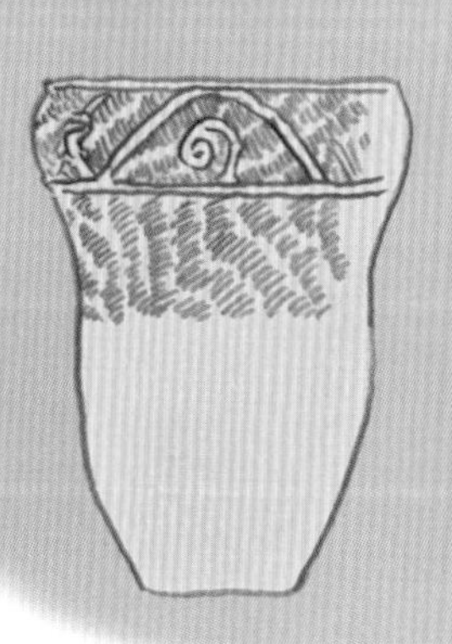

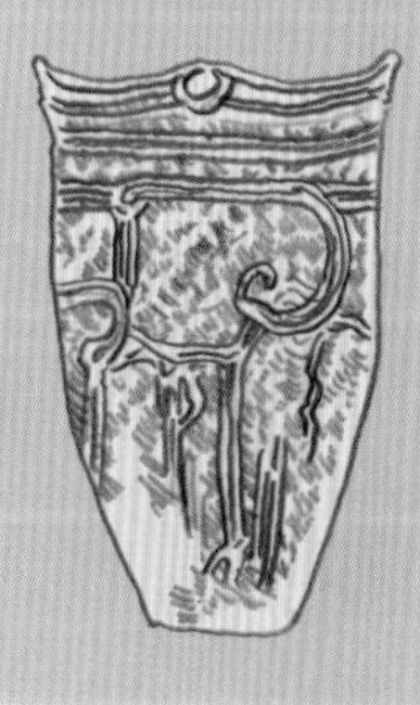

土器が見つかるところ

御所野遺跡からは膨大な量の土器が見つかっています。最も多いのは中央部の墓の周辺です（図28の4）。墓は中央部の北側にあり、その南側が一段高くなっています。縄文人が墓をつくる時にあらかじめ削り、その削った土をここに盛り上げているようで、盛土（もりど）と呼んでいます。この盛土と墓、さらには墓の北側にある窪地などからは土器や石器、さらにはマツリや祈りなどの道具である土偶や土製品、石製品などが多く出土しています。ここからは火を燃やしたあとの焼土がいくつも見つかっており、なかには焼けた動物の骨片が入っていたり、焼けて炭化した木の実が大量に残っていることから、ここでは火を使った「送り」などの儀式が行われていたと思われます。

使用された竪穴住居跡の凹地からも同じような状態で土器や石器がまとまって出土します。そこでも同じように焼土や石囲炉が見つかる場合が多いようです。このような竪穴住居の跡地利用は特定の竪穴に限られるようです。馬場平遺跡では大型の竪穴住居跡が同じ場所で４棟重複していますが、そのうち土器・石器が多く出土するのは焼けた１棟だけでした。このことから遺跡から見つかる土器は、特定のところに集中していること、そのまわりに火を燃やした痕跡があることなどから、場所を決めて同じように送りなどの儀式を行っていると考えられます。その場合土器や石器などの実用的な道具だけでなく、土偶や土製品・石製品などの道具、さらには家が焼かれていることなどから、縄文人は家も含めて利用した全ての物を自然に返すということで、このような儀式を行なっているのかも

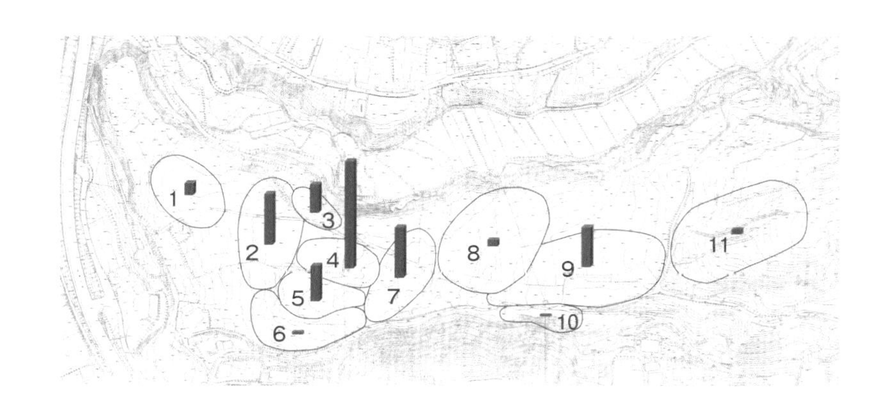

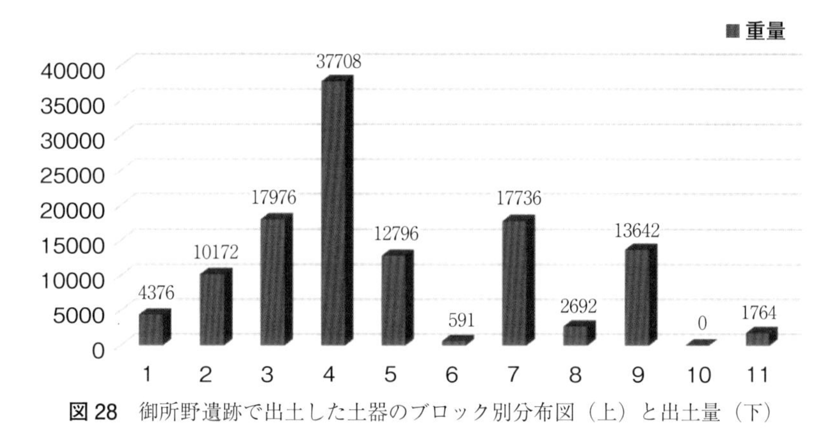

図 28　御所野遺跡で出土した土器のブロック別分布図（上）と出土量（下）

知れません。

そのほか土器などが使用されたまま見つかる場合もあります。馬場平遺跡では竪穴の入口に完全な形の土器が逆さまに埋められていました。取り上げて確認したところ、底の部分が打ち欠かれていました。同じように底に孔をあけた土器は、中央の墓の周辺からも見つかっており、埋葬用の土器と思われます。

竪穴住居跡の床に土器が埋められている場合があります。大型の

図 29 _ 御所野遺跡の大型住居跡の土器出土状況

竪穴住居では、ひとつの竪穴に径 10〜20 cm の小型の土器が 6 個埋められていました。いずれも口の部分が欠かれており、その破片を土器の中に敷き詰めていたり、なかには焼土を確認できるものもありました。このような土器は何に使われたのでしょうか。土器の中の土が焼けていることから、そのなかで火を燃やした可能性もあります。

中型竪穴のなかには、打ち欠かれた土器の上半部が、土器の口を下にして埋められていました。土器は床に置かれたものでなく、土器の口の部分を数センチ掘り下げてから設置しており、明らかに竪穴内の施設として使われたようです。

文様のない縄目だけの土器ですが、土器の下半部が打ち欠かれています。なかには土が入っており、その上の部分が焼かれて赤くなっていました。大型住居跡の土器と同じく火を使う何らかの施設として利用されたようです。

縄文土器から見えること

土器は一般的には物を煮るための鍋として使われたと考えられています。その証拠に出土した土器のなかには、土器の下半部が過熱によって赤く変色している場合があります。比較的大きめの深鉢形と呼ばれる土器の大半はこの煮炊用の土器と考えられます。このような煮炊きで使った土器に炭化物がついている場合があります。煮炊きしたものが黒いおこげとなって残ったと考えられますが、そのおこげを分析することで、煮た物が植物なのか、動物なのか、あるいは海産物なのかということが推定できるようになりました。そのほかにも土器は物を貯蔵したり、人の骨を入れる土器棺として使われる場合もあります。

ところで土器にはいろいろな文様が描かれていますが、このような文様は、それぞれ何らかのつながりのある人たちに共通する文様として描かれているようで、その文様からつくられた時代と使われた範囲がわかります。

御所野遺跡から出土した土器は、大きくふたつにわけて考えることができます。ひとつはバケツのように寸胴な円筒式土器と呼ばれる土器です。御所野遺跡など、北の地域でつくられた土器です。もうひとつは、その土器が出土した遺跡名称から大木（だいぎ）式土器と呼ばれています。北の土器の文様は比較的単純な文様が規則的に繰り返されるのに対して、南の土器は形もいろいろで、ダイナミックで曲線的な渦巻き文などが描かれています。これらの土器は、北と南それぞれの地域でつくられていましたが、やがて南の土器の影響が強くなり、ほとんどの土器が南の影響を受けた土器に変っていきます。

このような土器の変化から、大木式土器を使った南の人たちが、北の人たちに強い影響を与えて、やがてひとつになったということを読み取ることができます。

土器は時間のものさし

土器の形や文様は時期と場所によって変わります。このような土器の変化を土器の形や文様、さらには作り方などの特徴から、共通するものとしてまとめたものを土器型式と呼んでいます。

それぞれの土器型式のうつりかわりを時期ごとに整理したのを土器の編年と呼んでいます。このような土器の編年をもとにして、その土器が使われたおおよその年代を知ることができます。このような土器の前後関係を整理したものが相対年代であり、もうひとつは、自然科学的な方法もあります。広く知られているのは ^{14}C という炭素による年代測定法です。御所野遺跡では各時期ごとに20点で年代測定をしており、その結果と土器型式による年代とを照らし合わせて各時期の具体的な年代を決めています。

図30 時間のものさしになる縄文土器

時期	年代	土器型式	土器	実測図
Ⅰ期	未測定	円筒上層c式（口縁部に4つの突起、その下に隆線で文様）	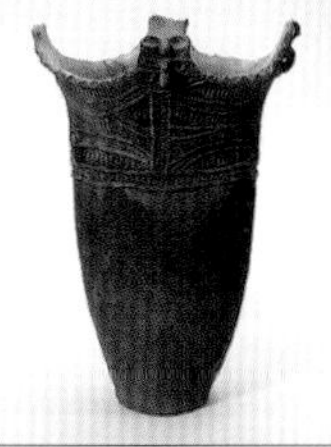	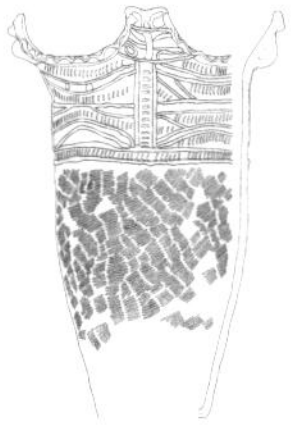
Ⅱ期	約5,000～4,800年前	円筒上層d・e式（口縁部に4つの突起、隆線または沈線の下に文様）		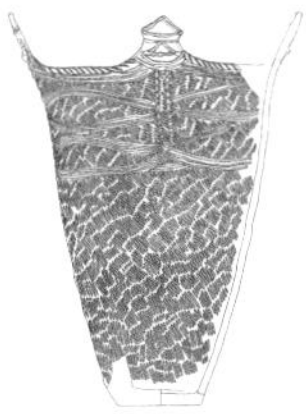
Ⅲ期	約4,800～4,700年前	大木8b式（渦巻き状文様）		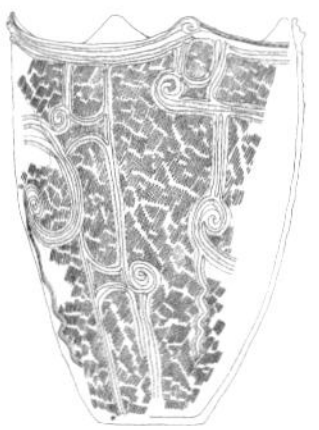
Ⅳ期	約4,700～4,500年前	大木9式（縦方向の磨消縄文や沈線）		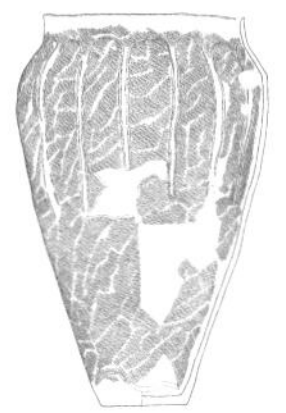
Ⅴ期	約4,500～4,200年前	大木10式（横方向の磨消縄文）		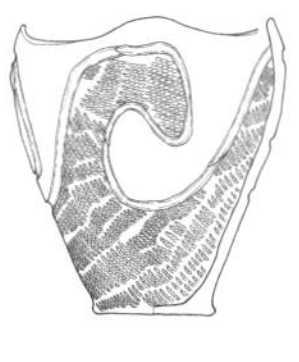

図31　御所野遺跡から出土した土器編年（隆線：粘土紐の貼り付け、沈線：溝）

コラム３　土器に描かれた羽根付き縄文人

御所野遺跡中央の土が高く盛られた盛土から頭に羽を付けた縄文人を描いた土器片が発見されています。粘土を丸くしてそのなかに目と口を表現して顔をつくり、細長い粘土紐で表現した体のうち肩の部分が残っていますが、その上には突き刺してつけた穴が連続しており、同じ穴で頭の上に２本の羽を表現しています。このように人の形を貼り付けた土器は人体文土器と呼ばれており、縄文時代中期末から後期初めにかけて、東北地方から関東地方の遺跡で発見されています。もともと数も少なく、特別な土器と考えられていますが、御所野遺跡から出土した土器の破片には、お焦

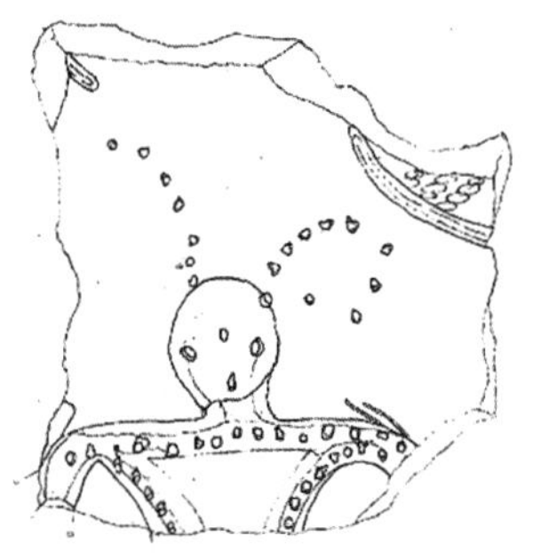

御所野遺跡で出土した土器に描かれた羽付のついた人物像（上）とその実測図（右）

狩猟文土器　左は岩手県二戸市馬立Ⅱ遺跡出土。右は青森県八戸市韮窪遺跡出土。

げのようなものがついていることから、おそらく煮炊きに使った深鉢形土器の可能性があります。

同じ頃に人体文土器とともに発見されるのが、動物などを捕獲する様子を表現した土器で、狩猟文土器と呼ばれています。狩りの獲物と思しき動物に、弓矢、陥し穴の文様が施された土器のことで、それに人体の表現が加わるものもあります。描かれた人は祭司で、狩りの成功や生命の再生を祈る儀式に使われたのではないかと考えられています。御所野遺跡に近い二戸市の馬立遺跡からも発見されていますが、頭に付けられた羽は、このような狩猟と関係があるのかもしれません。

土器に描かれた人・狩りの様子などからも

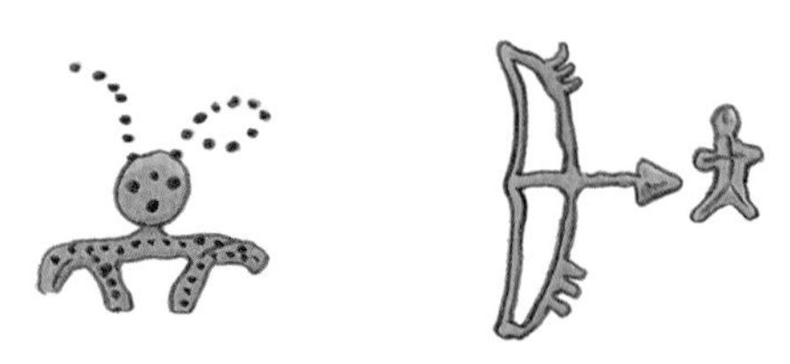

縄文人のくらしが伝わります

矢じりづくりのムラ

御所野遺跡からは矢じり（石鏃）がたくさん出土しています。

1,300個を数えていますが、そのほかにも破損して形態が不明なものや石鏃未成品と呼ばれる製作途中のものもあります。このほかに製品だけでなく、石器の材料（素材）や石器をつくる時に出る剥片（フレーク、チップ）が大量に出土しています。

なかには石鏃や石槍などをつくるときにできるポイントフレークと呼ばれる剥片も含まれています。このことから御所野遺跡に原料となる石（素材）が持ち込まれ、ここで石鏃などがつくられたと考えられています。このような製品や剥片を調べたところ石質には二種類あることがわかりました。

ひとつは遺跡の南側の崖下を流れる根反川で採取できる珪化木です。もともと根反川地域は珪化木が多いことで知られており、根反川の上流から馬淵川との合流点までの5.5 kmが国の天然記念物として指定されています（その後追加指定されて現在は8.3 km）。なかでも流域のほぼ中央に位置する「根反の大珪化木」は、直立する日本一の珪化木として特別天然記念物に指定されています。このような珪化木は1,700万年前にここで生えていた樹木が、火山灰に覆われた後浸水した水によって樹木の成分が入れ替わって化石になったものです。珪化木のなかの特に硬い部分で縄文人は矢じりをつくっていたようです。

もうひとつは、日本海側に多い珪質頁岩です。やや灰色がかった黒っぽい石で、詳しく調査したところ、秋田県男鹿半島の周辺で原石が確認できました。遠く100 km以上離れた秋田県から石を入手し、

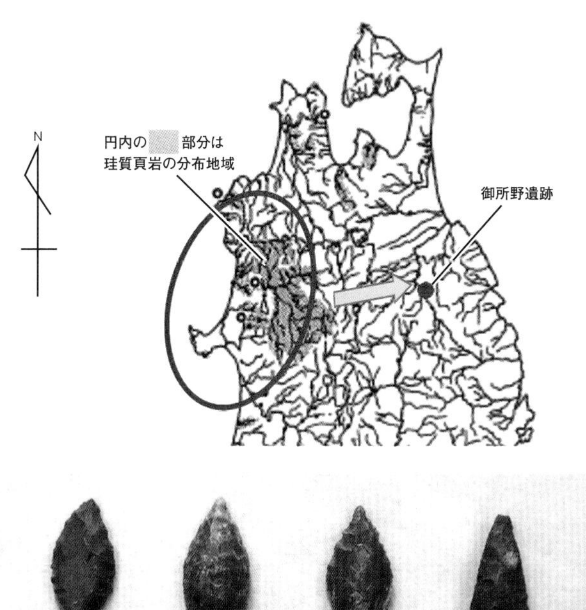

図 32　御所野遺跡で出土した矢じりの石材産地（上）と、出土した矢じり（下）、手前は復元した矢。

御所野遺跡で矢じり（石鏃）をつくっていたのです。このような二種類の石はそれぞれどのような割合で利用されたのでしょうか？中央部の調査区で出土したものを１点ずつ確認して調べたところ、地元産が3〜4割、秋田産が6〜7割となりました。

コラム4　縄文人が使った珪化木ってなに？

御所野遺跡で発掘をしていると木目のついた奇妙な石がよく出てきます。地元では木石と呼ばれており、遺跡から出てきてもまったく驚く様子もありません。この地域では見慣れたもののようです。遺跡の南側の崖の下を流れる川は根反川と呼ばれ、昔から珪化木が出ることで知られており国の天然記念物に指定されています。

珪化木とは、火山灰と水が絶えることのない場所で、ながい時間をかけて木のなかの成分が変わってできた化石です。根反川の周辺ではスギ、ブナ、ケヤキ、カシ、クスノキなどの珪化木が確認されています。根反川の流域の中ほどに、高さ6.4 m、幅2 mもの大きな珪化木が川岸に立って

御所野遺跡の周辺でみつかる珪化木

御所野縄文博物館主催の珪化木観察会

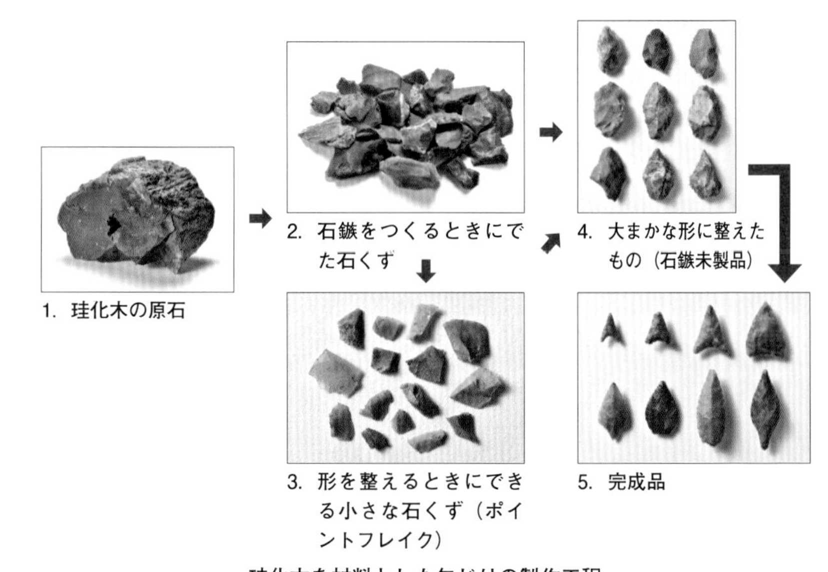

珪化木を材料とした矢じりの製作工程

おり、直立する日本一の珪化木として知られています。

御所野の縄文人は、このような珪化木を利用していたようです。なかでも弓矢の先につける矢じりは、形を整えた完成品ばかりでなく、矢じりを作るために持ち込んだ原石や、製作の時に出る剥片などが大量に見つかっていることから、縄文人が根反川などから珪化木を遺跡に運んで矢じりをつくっていたことがわかりました。川で採取した珪化木のうち石質の良い部分を選んで遺跡に持ち込んだようです。

4章 縄文人の世界観

茂谷山とストーンサークルの謎

御所野遺跡の中央部北側でストーンサークルが見つかりました。一定の形に石を並べた組石(くみいし)と、それを組み合わせた配石遺構と呼ばれる石のまとまりが、東西80m、南北50mの範囲から出てきました。全体が環状になっていることから、そのまとまりを考古学では環状配石遺構・ストーンサークルと呼んでいます。

ストーンサークルは東西にふたつあります。いずれも真ん中には石がほとんどなく、その外側に集中しています。東側のストーンサークルは、中央の東西25m、南北15mの石のない空白区の外側に各配石遺構が分布しており、全体が長方形、あるいは楕円形の環状となっています。

配石遺構は8カ所ありますが、そのなかの北東隅のひとつを紹介します。

全体が径2.5mの円形ですが、外側の縁にやや大きめの石を横にならべて、その内側に隙間がなく小さめの石をつめています。このような配石遺構の端に大きな石がふたつに割れて横たわっていました。石質を調べたところ、遺跡の対岸にある茂谷山の花崗岩（角閃石モンゾニ岩）だということがわかりました。遺跡の周辺では茂谷山以外にこのような花崗岩はないので、この石は馬淵川を越えて運んできたと考えられます。おそらく当時はこの場所にそのまま立っていたと思われます。

そのほかの石は、いずれも川原石で、安山岩、チャート、砂岩、石灰岩などですが、いずれも馬淵川やその周辺の川から運ばれてきたと考えられます。配石遺構の下は調査していませんが、そのまわ

図 33 茂谷山と復元された死者を送る建物

図 34 いろいろな配石遺構

りの調査で、墓坑のまとまりをいくつも確認していることからストンサークル全体が墓と考えられています。

西側のストーン・サークルも同じく東西16ｍ、南北9ｍの中央には石がなく、その外側にいろいろな形の組石が環状に分布しています。

ところで御所野遺跡の配石遺構は、まわりの竪穴住居跡などと重複していますが、いずれもそれより新しいことを確認しています。周辺から出土した土器などから御所野遺跡の最も新しい時期、つまり御所野の集落が周辺に分散した後にここを共同墓地とし、その墓標としてつくったと考えられています。

次に巨石のあった茂谷山を紹介しましょう。茂谷山は遺跡の北西方向にある山で、ボールをひっくり返したようなドーム型の山です。地下にあった花崗岩が隆起した山で、山頂には今でも祠があり、茂谷大権現がまつられています。御所野遺跡から出土している花崗岩は、川原石として周辺の川から集めたもの以外の花崗岩の原石はいずれも茂谷山から運んだと思われます。ひとつは配石遺構の立石とした大きな石、もうひとつは竪穴住居の中から出土する花崗岩です。

このように茂谷山の花崗岩は遺跡で幅広く利用されており、御所野ムラの縄文人にとって茂谷山は大切な信仰の山だったということがわかります。

図 35　配石遺構の出土状況

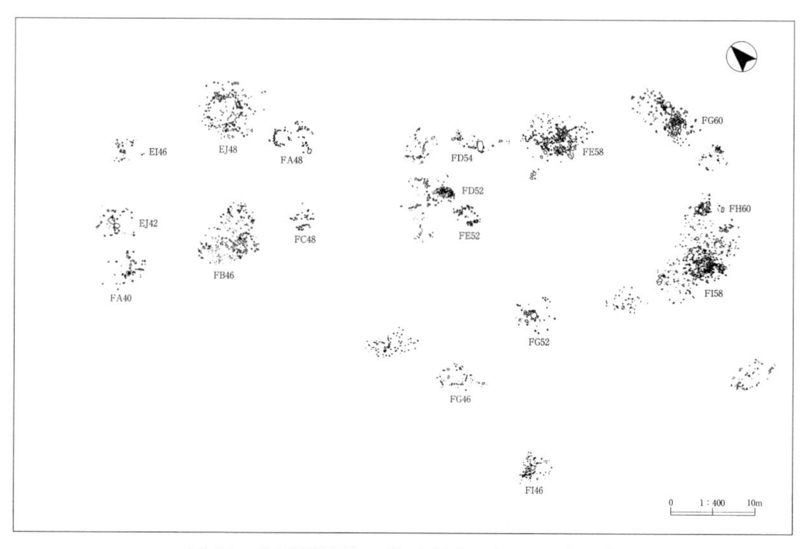

図 36　御所野遺跡の配石遺構の広がり（　　）

コラム5　茂谷山は祈りの山

御所野遺跡の北西方向に見えるのが茂谷山(もやのやま)です。標高 350 m の花崗岩の山で、今でも山頂には鳥居と小さな祠があり、茂谷大権現が祀られています。山の中腹にあるカツラの木の根元には湧水池があり、そこにも権現サマが祀られるなど、地元の人の生活に関わった伝承がいくつも語りつがれた信仰の山であります。

モヤと呼ばれる山は東北地方北部に多く、茂谷山のほか雲谷山、靄山、母谷山などと書かれています。青森県で 3 カ所、秋田県で 7 カ所、岩手県で 2 カ所確認できますが、今でも地元の生活と密着した信仰の山として知られています。

北海道ではアイヌ語と同じくモイワと呼ばれており、道内各地で確認されています。いずれも標高は 200〜800 m ほどの山で、それぞれの集落からよく目立つこぢんまりとした山です。

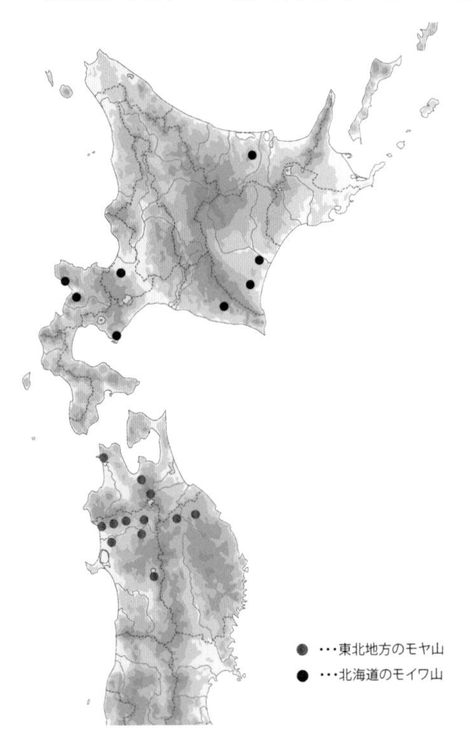

御所野遺跡の墓で使われた巨石や、竪穴住居のなかの石についてその石質を調べたところ、そのいくつかが茂谷山の石だということがわかりました。遺跡と茂谷山の間には馬淵川という大きな川がありますが、縄文人はそこを越えて、わざわざ御所野に運んだと思われます。

北海道・東北北部の「モヤ山」

地方区分	モヤ山の呼称	所在地
東北北部	茂谷（モヤ）山	岩手県二戸郡一戸町高善寺
	靄（モヤ）岳	岩手県九戸郡軽米町小軽米
	靄（モヤ）山	青森県五所川原市脇元字靄谷
	雲谷（モヤ）峠	青森県青森市雲谷
	大母屋（オオモヤ），小母屋（コモヤ）	青森県十和田市沢田
	母谷（モヤ）山	秋田県山本郡八峰町
	茂谷（モヤ）山	秋田県山本郡藤里町粕毛
	茂谷（モヤ）山	秋田県鹿角市十和田瀬田石
	茂谷（モヤ）山	秋田県能代市字大台野
	茂屋方（モヤカタ）山	秋田県大館市山田字茂屋
	靄（モヤ）森	秋田県大館市十二所
	靄森（モヤモリ）山	秋田県仙北市田沢湖潟
北海道	円山（マルヤマ）（旧称モイワ）	北海道札幌市中央区
	モイワ山	北海道虻田郡ニセコ町
	モイワ山	北海道広尾郡大樹町萌和
	茂岩（モイワ）山	北海道中川郡豊頃町茂岩
	茂岩（モイワ）の弁天島	北海道古宇郡泊村大字興志内村字茂岩
	ポロイワ山・モイワ	北海道浦河郡浦河町野深
	藻岩（モイワ）山	北海道北見市東相内町
	楽山（ラクサン）（旧称ピシュン・モイワ）	北海道室蘭市知利別町

＊東北地方では「モヤ」、北海道では「モイワ」と呼称されている。

参考文献　筒井　功　2020『アイヌ語地名の南限を探る』河出書房新社
山田秀三　1993『東北・アイヌ語地名の研究』草風館
山田秀三　1995『アイヌ語地名の研究　第三巻』草風館

茂谷山・雲谷山など
“もや”と呼ばれる山は
東北北部から北海道にかけていくつもある

地元で信仰の山

環状にめぐる柱穴群

東側のストーンサークルの外側には大小の穴が環状に分布しています。穴の大きさもいろいろで、浅いものから極端に深いものまであります。穴のなかを調べたところ、柱を埋めて抜いた痕跡（柱痕）を確認できることから、ほとんどが柱を埋めた柱穴だということがわかりました。この柱穴について検討してみます。各柱穴の規模は表１のようになります。

Ａ群はそれぞれの柱穴が長方形の６本柱になることから、地面に直接穴を掘って柱を埋めた掘立柱建物に伴う柱穴と考えられ、一般的には高床か平屋の建物と考えられています。御所野遺跡の場合には、建物の長軸方向がいずれも墓の中央を指し、しかもそれぞれの建物が環状にめぐることから、墓と関係のある建物跡と考えられています。

Ｂ群はＡ群より大きい柱穴ですが、いずれも対応する柱穴がないことから単独の柱と考えられます。なかには深さが160 cmを越す深い柱穴もあります。このような大きな柱穴は墓の東端、北端、西端に位置することから、それぞれ単独か、あるいは２本、３本が並列していたと考えられます。

Ｃ群はいずれも小さくて浅い柱穴であり、どのようなことに使われたのかは不明ですが、次のような特徴があります。

表１　ストーンサークルの外側の穴

	直　径	深　さ
Ａ群	30～60 cm	40～90 cm
Ｂ群	50～80 cm	100 cm 以上
Ｃ群	20～40 cm	15～40 cm

図37　復元された柱穴群

①　規模が小さくて浅い柱穴とそれよりやや規模の大きい柱穴があり、同じ場所に集中している。

②　北側の掘立柱建物跡の周辺に集中しているが、ここではやや大きい柱穴と小型の柱穴が混在している。骨片が入っている焼土が近くにあり、そのまわりから同じく焼けた骨が多く出土している。

③　東側にある掘立柱建物跡の間を区画するように柱穴が並んでいる。大きさはやや不揃いである。

①については不明ですが、②は動物の骨を焼く儀礼にともなう柱穴群、③は墓域を区画するための柱穴列と考えることもできます。

死者を送る施設（掘立柱建物）

それぞれの配石遺構に伴うと考えられる掘立柱建物跡はどのように使われたでしょうか。それを考える上で貴重な情報を発掘調査で確認できました。

配石遺構群の西側で見つかった掘立柱建物跡の二つの柱穴から炭化した木の実が大量に出てきました。いずれも柱穴のなかの柱を抜いたあとの穴から出てきました。おそらく建物の柱は抜いた穴に意図的に炭化させた木の実を入れたと考えられます。このことから建物は解体されたと考えることができます。

木の実などの堅果類を焼いた場所は御所野遺跡では二箇所で見つかっています。いずれも竪穴住居の炉の上に大量に残っていました。ここでは火を燃やして火床をつくり、その上に木の実を集めて土を被せたと考えられます。皮がついたまま炭化しているものもあることから、最初から形が残るように意識して炭にしているようです。つまり木の実は燃やすということより、蒸すような状況をつくって炭化させていると思います。

木の実は、トチノキが圧倒的に多く９割、残りはクリとクルミが半々です。もしかすると自然からの恵みに感謝して、自然に返す、あるいは送るということで炭化させているのかもしれません。

それでは炭にした木の実をなぜ壊したした建物跡の柱穴に入れたのでしょうか？

掘立柱建物跡は墓に伴う施設で、使用後に壊して柱を抜いた穴に木の実を入れて一緒に送るということが想定できます。時間をかけて死者を送る施設ということで考えれば、古くから行われていた殯（もがり）

図 38　復元された掘立柱建物

図 39　解体する掘立柱建物跡

などが想定できます。つまり墓に隣接して建てられたこのような施設は死者を送る施設だった可能性もあります。

図40　復元された東端の柱列

聖地のシンボル（太い木柱）

A群より一回り大きい柱穴がB群です。対応する柱穴がないことから建物ではなく、単独の柱か、あるいは2〜3個並列する柱と考えられます。そのなかでも特に大きい柱穴を東側で3個、北側で2個、西側で3個確認しています。いずれも直径70〜80 cmの深さが110〜130 cm程の柱穴ですが、なかには160 cmという特別深い柱穴もあります。

周辺の柱穴群が集中する墓の東側、北側、西側にあり、その中央に位置していること、さらに並列する柱穴東側では南北方向、北側では東西方向であり、いずれも墓城の入口などを意識した特別な木柱の可能性もあります。

土偶など祈りの道具

祈りなどの精神的な行事で使われる道具には2種類あります。

ひとつは竪穴住居などの屋内で使われるもので、石棒や小型土器、あるいは漆塗り土器などで、大半は竪穴住居跡から出土します。竪穴内で行われるこのような祭祀（さいし）は屋内祭祀と呼ばれています。

屋内祭祀の様子を最もよく伝えているのが西側の大型竪穴住居です。入口から入った正面の左奥が、祭祀の場と考えられています。漆塗りの土器のほか、トックリ型の土器、小型の土器など、特別な土器がまとまって出土しています。このような遺物とともに石棒や花崗岩、更には三角形状の扁平な石が立てられており、ここは祈りの場だろうと考えられています。

それ以外の土偶や土製品、石製品などは大半が中央部の墓の周辺や盛土遺構などから出土しています。縄文時代の代表的な祈りの道具は土偶です。御所野遺跡からは15点出土していますが、そのうち13点が中央部から出土しています。盛土からは1点と少なく、大半はその周辺から出土しています。いずれも破片ですが、なかには全長5～6 cm前後で、全体の形状を推定できるものが2点あります。

土偶のほかには土製の耳飾りやペンダントや首飾りなどとなる土玉、管玉、丸玉、環状土製品、有孔円盤状土製品、三角形・円形・隅丸方形などの円板、さらにキノコや石斧を模した土製品などのほか、石に孔をあけた石製品などがあります。

▲三角形土製品

▲円形土製品（耳飾りなど）

▲土偶

キノコ形土製品▶

図 41　祈りの道具

コラム6　粘土を採掘した穴から土偶発見！

御所野遺跡の南東で縄文人が土器づくりの粘土を採った穴が発見されました。崖に露出していた粘土の層を発見し、上から順次掘り下げてから次に粘土層に沿って横に掘り進めたようで、いたるところに粘土を抉（えぐ）り取った横穴がいくつも残っていました。なかには白い粘土が壁にそのまま残ったり、深く掘られた穴の底には、白い粘土の塊が散乱していました。粘土の層は厚さ 30 cm ほどですが、そのまま周辺に広がり、広範囲に分布していることから、同じような穴はほかにもあるものと思われます。

この粘土を採取した穴から、頭や手足を省略した土偶が見つかっています。顔の形や体の部分がはっきりしていないため不明ですが、祭祀に伴う土製品と考えられることから、今回は土偶として紹介します。

土偶はその多くが中央部の墓の周辺で見つかっていることから、死者や自然への祈りの場で使用されたと考えられていましたが、このような粘土を採取した場所で発見されたことは注目されます。あるいは粘土を採る

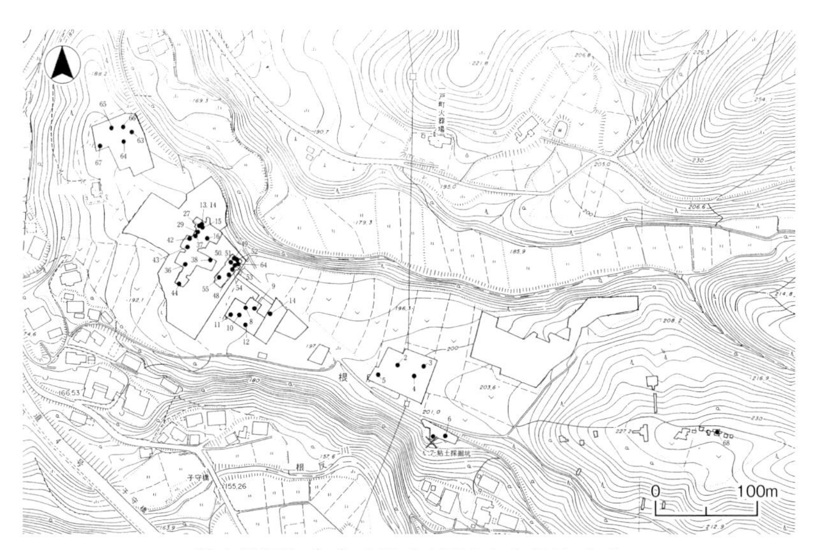

粘土採掘坑（×）と粘土が出土した住居（●）

▲粘土採掘坑。白い粘土が散乱している

不思議
なぜ粘土を
掘った場所から
土偶が…

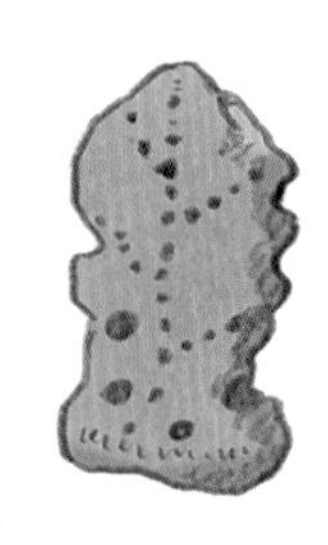

▲出土した土偶。高さ 7㎝

場所で何らかの祈りをしたのでしょうか？

なお、御所野遺跡で発掘された15棟の竪穴住居跡から同じような粘土の塊が見つかっています。それらの成分分析をしたところ、粘土を採取した穴と同じだということがわかりました。

5章 縄文ムラを再現する

実験考古学の挑戦

石斧で木を伐る

御所野縄文博物館では東京都立大学と共同で石斧での木の伐採実験を行ってきました。土屋根竪穴の建物の復元実験の一環として1999年に行ったのが最初で、石斧は御所野遺跡から出土したものをモデルとして蛇紋岩で製作しました。石斧を固定する柄は、福井県の鳥浜貝塚から出土した縄文時代前期の木製品を参考にして、縄文時代の道具づくりの専門家である新潟県の磯部保衛さんに製作していただきました。斧と柄をそれぞれ2本ずつ用意していよいよ実験です。

実験の結果、伐採する時期やその樹種、さらにはその木が生育している環境によって伐採にかける時間や労力が違うということがわかりました。なかでも伐採の時期が重要で、樹木がさかんに水を吸収する6月〜7月が最も効率がいいようです。

御所野遺跡の縄文人がどのような樹木を、どのように利用したのかということはまだわかっていませんが、第2章で紹介したように、建築材としてクリを利用していたことから、実験でもクリの木で行いました。そのほかコナラも伐採しました。

クリとコナラを比較するとクリの方が木質が柔らかいこともあって伐採は比較的容易でした。秋に御所野遺跡の同じ場所にある直径20 cmのクリとコナラを伐採したところ、クリは20分程でで切り倒したのに対して、コナラは50分と倍以上の時間がかかりました。樹木が最も伐採しやすいのは6月後半から〜7月ですが、この時は直径25 cmのクリ材をたった5分で切り倒しています。8月以降に

図 42　石斧で木を伐採する実験

図 43　石斧で伐採したクリの木の断面

図 44　折れた石斧でクリの木の皮を剝ぐ実験

なるとだんだん寒くなり、樹木が硬くなるため、しだいに伐採は困難になります。伐採とともに考慮しておかなければならないのは、伐採後の皮剥ぎです。樹皮の皮剥ぎも伐採と同じく、樹木がさかんに水を吸収する時期に限定されることがわかりました。

樹皮でつくる縄

縄文時代にはどのような縄を利用していたのでしょうか？　かつて福井県の鳥浜貝塚では縄文時代の縄がまとまって出土しました。その後同じ北陸地方や東北、北海道、さらに最近では佐賀県の東名（ひがしみょう）遺跡などからも出土しており、少しずつ資料が増えてきました。ワラビなどのシダ類が多く、なかでもリョウメンシダが圧倒的に多いようです。そのほかツヅラフジ、ヤマブドウ、マタタビ属、カバノキ属、麻、カラムシ、イラクサ、シナノキ属、サクラ属など今までに150点以上確認されています。

出土するのは縄文時代前半の時期、なかでも前期が多く、全体の3分の1がこの時期の遺跡から見つかっています。御所野遺跡の近くでは、青森市の岩渡小谷遺跡でマタタビの蔓、三内丸山遺跡ではマンサクの枝、そのほかリョウメンシダとヤマブドウの樹皮でつくった縄が出土しています。北海道小樽市の忍路土場（おしょろどば）遺跡からは、ヤマブドウの樹皮とシナノキ属の樹皮でつくった縄が出土しています。

御所野遺跡でどのような縄を使っていたのかはまだわかっていませんが、竪穴建物跡の建設では、シナノキの樹皮でつくった縄を使いました。建物を建てる場合、丈夫で長持ちする強い縄が大量に必要ですが、その場合、シナノキの樹皮の縄が最適だと考えたからです。シナノキは東北地方ではマダと呼ばれ、御所野遺跡の周辺ではつい最近まで利用されており、縄が作りやすいということもありました。

御所野遺跡では次のような手順で縄をつくっています。

シナノキは山のなかの窪んだ場所にまとまって生えていることからあらかじめ下調べをして、必要な本数を決め、水分をよく吸収している7月に伐採します。おおよそ樹齢20年前後の木を利用しますが、その場合樹高は約20 m、根元径が20 cmくらいになります。伐採した木は、長さ1 m程に切り揃えてから樹皮を剥ぎます（図41－①）。剥いだ樹皮はそのまま谷にある池に入れて水漬けにします（図41－②）。この場合、水はできるだけ温度が一定で、汚れて淀んでいる方が良さそうです。2～3カ月後に樹皮の内側の柔らかい繊維を剥ぎ取り、きれいな流水で洗い流します（図41－③）。洗った繊維は竪穴住居のそばにつくったハセで2～3週間ほど乾燥させてから保存しておきます（図41－④）。主に冬になってから槌で叩いたり、裂いて細くしてから縄にします。

図45-①　樹皮を剝ぐ

図 45-② 樹皮を水に漬ける

図 45-③ 繊維を洗い流す

図 45-④ 繊維を乾燥させる

土屋根建物を燃やしてみた

土屋根の建物を復元してから２年間、室内の温湿度を測定しながら土屋根住居の住みごこちを調べました。まわりが土で覆われていることから外より若干湿度は高くなりますが、夏に中に入ると涼しく、それ以外の季節でも、入口近くにある炉でほんの少し火を燃やすだけで一気に暖かくなることから、住みにくい環境ではないということが確認できました。

その後御所野遺跡では、土屋根住居が焼けた状態で発見されていることから、その状況を確認するために実験的に復元した竪穴住居建物を燃やしてみました。史跡公園がオープンする３年前のことです。実験では竪穴のなかの柱に小枝を積み上げて、火が小枝から柱に移り、そのまま屋根に燃え広がるように準備してから火をつけました。最初は燃えてもすぐ消えてしまうということが何回も繰り返され、結局建物全体が燃えるということはありませんでした。どうやら竪穴は屋根が土で覆われているため、酸欠状態になって消えてしまうようでした。そこで土屋根の一部を壊して空気が入りやすいようにしたところ、火は一気に燃え広がり、20分ほどで中央の屋根が土ごと落下しました。復元の際、屋根を支える柱を叉木にして、その上に梁と桁をのせており、建物の骨組みが頑丈だったということもあって屋根土は梁と桁に絡まって回転しながら落ちました。発掘調査でも中央部の炭化材は割れたものが多く、しかもバラバラに散乱していましたが、それはこのような状況を反映していたのかも知れません。

こうして屋根の一部が大きく開くと、なかに空気が入りやすくなり、火は壁際から燃え移り、勢いよく燃えたため、外から中央に伸

図 46　建物復元後の焼失実験で土屋根を燃やす

図 47　焼失実験から 20 年後の様子

びていた叉首（さす）が折れ、その上にのっていた土が屋根の下地とともに崩れ落ちて木材を覆うため、なかの木材が蒸された状態になり、そのまま炭となって残るということが確認できました。

実験で焼いた竪穴は焼失後もそのままの状態で保存しています。観察をつづけたところ、数年間は柱や梁・桁が炭化したまま残っていましたが、時間の経過とともに、外側の炭化した部分だけが剥がれ落ちて、そのほかは腐り、20年経過した現在では材はほとんどなくなりました。

このような焼失実験から発掘調査で炭化材がきちんと残る場合は土屋根で、しかもその建物は意図的に燃やされた可能性が高いということがわかりました。発掘調査では、炭化材や焼土が上下に重なって出土しましたが、そのような状況を実験できちんと確認できました。

竪穴住居内で燃やす薪

御所野遺跡で発掘された竪穴建物跡にはいずれも炉がつくられていることから、縄文人が建物のなかで火を燃やしたことは確実です。その場合どのような木を燃やしたのでしょうか？　それを確認するために、復元した竪穴住居の炉で実験的に薪を燃やしてみました。用意した薪はコナラ、クリ、カラマツの3種類です。それぞれ博物館の裏手の縄文の森で伐採してから数年間乾燥させておいたものです。実験は週1回行っており、それを1年間継続しました。

実験の結果、それぞれの樹木の違いがわかりました。火をつけて最初に勢いよく燃えるのはカラマツとクリです。カラマツはなかに脂肪分を含んでいることから燃え易やすいが、長続きはせずすぐ消えてしまいます。クリも同じく火つきはいいですが、同じく長続きはしないで炭になってしまいます。コナラは火付きが悪く、特に含水率が20%以上になると極端に燃えにくくなります。したがってコナラは時間をかけてじっくりと乾燥させる必要があります。火の付きは悪いが、いったん火がついて火力が強くなるとそれを長時間保つのがコナラです。それに対してカラマツとクリは薪を追加すると一時的に火力はが強まるが、いずれも短時間で弱まります。火がついてから燃えきるまではカラマツが最も長く、表面は燃えて炭になっても中心まで火が通るまでは時間がかかります。逆にコナラは火をつければそのままほっといても燃えつきて炭になり、その後炭から灰になります。コナラは灰になる確率が最も高く、火が消えてからも少しずつ灰になります。

クリもすぐ炭になりますが、火が消えるとそのまま炭となって残ります。炭の状態もそれぞれ特徴があり、コナラは砕けやすく、全般的に柔らかいが、クリは全体に硬く、なかなか砕けないし、灰になる確率もかなり低いようです。

図48　クリの薪を燃やす実験

実験では重要な事なことがわかりました。カラマツ、クリは燃えている最中に火の粉があがり、強い音とともに弾けて周辺に飛び散ってしまいます。狭い竪穴住居のなかでの火燃やしですからクリやカラマツを燃やすことは危険です。その点コ

表2　コナラとカラマツの薪の比較

コナラ（9月のみクリ）

採集月	灰と炭の量（単位は●）	総重量における炭の割合
5月	灰：1.38　炭：0.00	0%
6月	灰：1.16　炭：0.00	0%
7月	灰：1.04　炭：0.00	0%
8月	灰：1.08　炭：0.26	19%
9月	灰：0.16　炭：0.19	35%
10月	灰：1.22　炭：0.00	0%
11月	灰：0.92　炭：0.00	0%
12月	灰：0.66　炭：0.00	0%
1月	灰：0.68　炭：0.00	0%

カラマツ

採集月	灰と炭の量（単位は●）	総重量における炭の割合
5月	灰：0.32　炭：0.26	45%
6月	灰：0.31　炭：0.25	45%
7月	灰：0.30　炭：0.16	35%
8月	灰：0.33　炭：0.37	53 &
9月	灰：0.28　炭：0.24	46%
10月	灰：0.26　炭：0.36	58%
11月	灰：0.17　炭：0.27	61%
12月	灰：0.15　炭：0.05	25%
1月	灰：0.13　炭：0.03	19%

ナラは安定しているし、火持ちがいいことから種火にもなり、灰が多く得られることからアク抜きなどにも利用できます。このことから薪にはコナラが最適だということがわかりました。

縄文時代の地形を復元する

縄文時代のムラを復元する前に発掘調査で検出した遺構をきちんと保護しなければなりません。御所野遺跡でも遺跡のほぼ全面に50〜70 cm の厚さに土を盛っています。

中央部北側の配石遺構は実物をそのまま露出しています。その場合、氷点下になる冬期間は石の劣化を防ぐため土で覆い保護しています。例年11月頃に土をかぶせて、4月に取り除いています。

遺構を保護するため全域に同じ厚さで土を被せるのではなく、できるだけ縄文時代の当時の起伏を復元できるように、場所によって土量を調整しています。御所野遺跡も一見すると遺跡全体が平坦に見えますが、よく観察することで微妙な起伏が見えてきます。このような小さな起伏を微地形と呼びますが、このような地形が縄文時

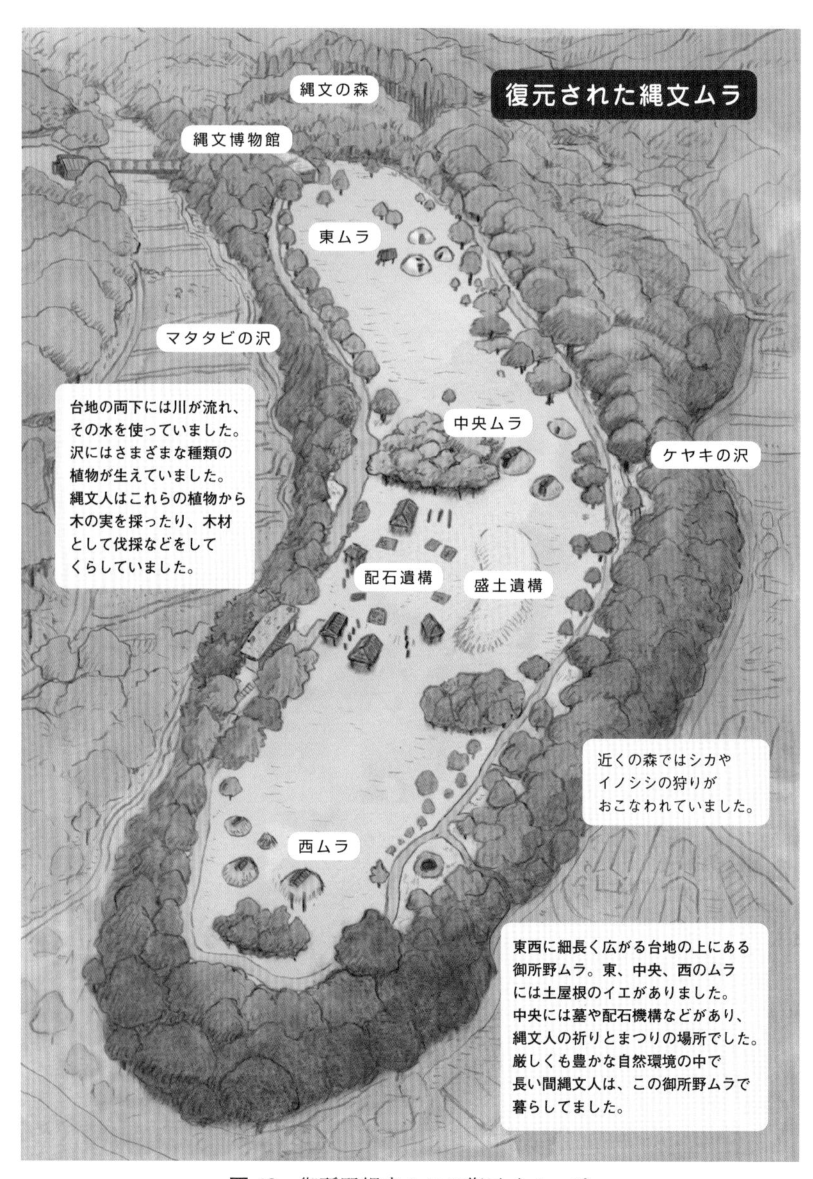

図 49　御所野縄文ムラの復元イメージ

代はどうだったのか、あるいはそれがどのように変化したのか、ということを調べるために、発掘調査では、各地区ごとに土層断面図を作成します。その調査で次のようなことがわかりました。

御所野遺跡のある台地は、全体が東から西に緩やかに傾斜しており、東端の標高は205 mなのに対して、北西端では190 mとなり、西側が10～15 mほど低くなっています。そのなかで遺跡の中央から東側では南東から北西、中央部から西側では南西から北東に緩やかに傾斜しているのがわかります。このような地形に沿って土層断面図を比較すると、斜面の下では縄文時代以降の土が厚く堆積しているのがわかります。つまり縄文時代から現代までに高いところから低いところに土が流れていたことがわかります。したがって遺跡を復元する場合は、起伏の高い方に厚く、低い方は薄く盛ることで縄文時代の微妙な起伏が表現できます。

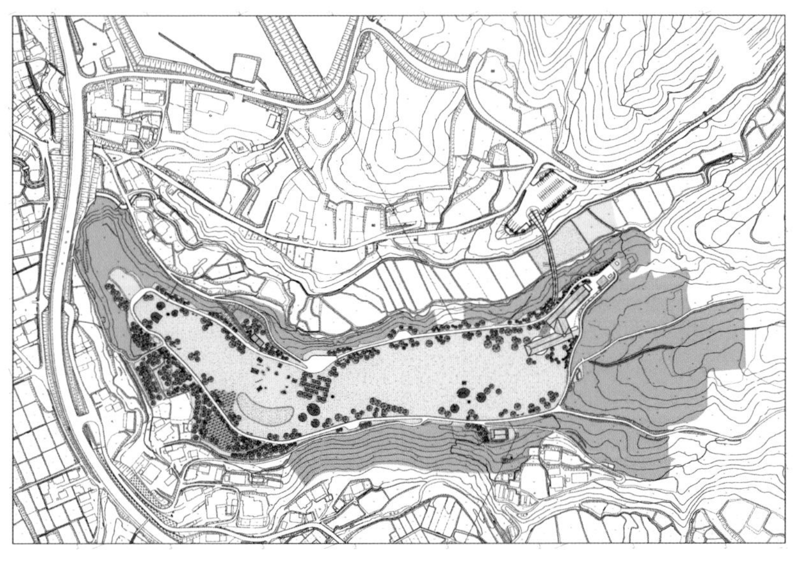

図50 御所野遺跡の地形図

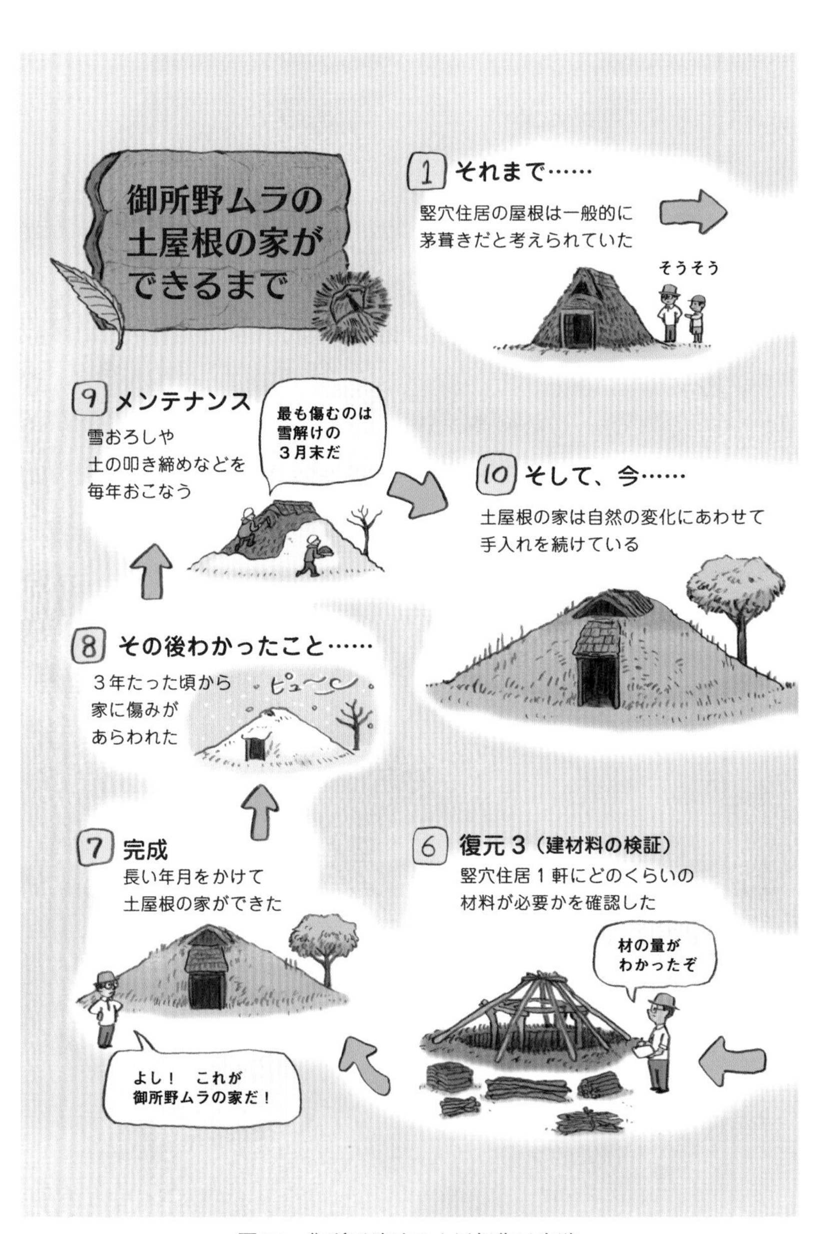

図51 御所野遺跡の土屋根復元実験

2 発見
ところが御所野遺跡の
屋根に土がのっていたと
考えられる竪穴住居が
見つかった
焼けた材や
土があった
上下にわけて
調べたよ
上
下
3 調査
建物跡ではクリの木を多く
使っていたことがわかった
4 復元1（土屋根の検証）
屋根にのせる土の質と
傾斜角度などを調べた
室内の環境も
分かった
35度くらい
で安定
完成することは
ないのさ
縄文人も同じことを
していたのかな？
5 復元2（道具の検証）
遺跡から出土した道具を復元し
竪穴住居を建てた
縄文の道具を
使うよ
住めることを
確認後……
実験
復元した家を
２年後に焼くと
2 と同じ
状態になった

御所野遺跡の前半であるⅡ期では、大型竪穴住居を中心とした竪穴住居群はいずれもこの微高地の上に、直線状に長くつくられていました。縄文人はこのような微妙な地形を読み取ってムラをつくっていたようです。

縄文時代の建物を復元する

御所野公園の縄文ムラは、御所野遺跡の後半の時期（Ⅳ期）を想定して復元しました。この時期の建物は東、中央の墓の東側、さらに西側の4カ所で確認しています。いずれも直径10m前後の大型竪穴住居を中心として、そのまわりで中型竪穴住居、小型竪穴住居が発見されることから、それを住居群のまとりとして復元することにしました。中央部では、御所野遺跡で最も大きい直径18mの大型竪穴住居とそのまわりの3棟を復元しています。最も南にある中型の竪穴住居は、先に紹介したように縄文時代の道具を使って建物をたてました。そのほかの1棟は径3mと小さい竪穴ですが、竪穴のなかに柱穴が全くないことから、外から伸ばした3本のサスを中央で結わえて屋根としましたが、この場合屋根に土をのせることは難しいので樹皮葺きとしました。

東側では大型竪穴住居と中型竪穴住居を1棟ずつと小型竪穴を2棟復元しました。そのほか大型竪穴住居の北隣で4本の柱穴が発見されたことから掘立柱建物跡と考えて復元しました。

遺構復元の方針が決定してから、建物復元のための具体的な資料を得るための調査を実施したところ、保存状態良好な焼けた建物跡がいくつも発見されました。この焼けた建物跡の調査で土屋根竪穴が具体的に確認できました。いずれも炭化材が多く出土しており、

図 52　東側の地形と住居群

図 53　西側の地形と住居群

復元のための資料が多く得られました。このような具体的な資料に基づいて復元したのが西側の4棟です。大型の竪穴住居とともに中・小型竪穴住居3棟を復元しました。

遺跡整備のモデル

御所野遺跡の景観は、早くから研究者の間では縄文時代を彷彿とさせると注目されており、遺跡とともにまわりの自然環境も保護するべきだという意見が多く寄せられていました。これを受けて一戸町教育委員会では、史跡指定地の周辺も広く公有化しています。当初、遺跡の指定地は54,000㎡でしたが、それより20,000㎡も広い74,000㎡の土地を購入しています。この時に周辺の土地を広く取得したことで、その後の縄文里山づくりを進めることができました。

ここでは御所野縄文公園をどのようにしてつくったのかを紹介します。

御所野遺跡の縄文ムラの特徴は、大型竪穴住居を中心として中型竪穴住居と小型竪穴住居が数棟ずつでまとまっていることです。その後大型住居跡が次第に小さくなり、中型・小型の竪穴住居の数も減っていくことが明らかになっています。つまりこのような建物を利用していた人たち（集団）の数が減ってきたと考えられています。このような時期ごとのうつりかわりを前提として御所野ではⅣ期を復元することにしました。

大型竪穴住居とほぼ同時期の可能性のある中・小型竪穴住居は東側、中央、西側で発掘されているので、それを保護しながらその上に復元しています。建物の復元は発掘調査で確認された痕跡をもとに復元するためあくまでも推定とならざるを得ません。そのため御

図 54　最初に復元した土屋根竪穴住居

図 55　2 回目に復元した土屋根竪穴住居

所野遺跡ではより実証的に復元しようということで、いくつかの実験を行いその成果をもとにして建物を復元しました。また建物を復元したことで得られた情報やその後の修復などでも新たな知見が得られることも多いので、そのような情報は次回の復元に生かすようにしています。

このようなことがありました。最初は建築史の専門家に作成していただいた復元図をもとに忠実に復元しましたが、その修理で屋根にのせる土が不足したため改めて土量を計算したところ、もともと掘り込まれた竪穴の土量よりも多くの土が屋根にのっていることがわかりました。そこで土量を再検討してのせたところ、土は上まで達しないことがわかったのです。そのため不足部分は樹皮で覆うことにしました。この結果、当初とは異なる外観となったのです。このように御所野遺跡では、発掘調査の成果をもとにして、実験を繰り返し、そこで得られた情報を踏まえて建物を復元しています。建物に関する情報は、復元時だけでなく、建物を利用している時にも得られます。復元建物はつくって終わりではなく、利用することで新たな情報が得られます。それをその後の復元に生かすという取り組みは「御所野モデル」と呼ばれており、遺跡整備の関係者の間で評価されています。

縄文人の見た風景をつくる

御所野遺跡は遺跡の内容とともに、周辺の自然が素晴らしいということは多くの人が指摘しています。発掘調査が進み、遺跡の内容が少しずつ明らかになるとこの自然をそのまま保護するだけではなく、縄文人の活動によってつくられた景観（縄文里山）を再現しようということになりました。里山づくりの根拠としたのは、縄文時代の土層の分析から得られた資料です。

ひとつは植物珪酸体分析と呼ばれる方法です。土のなかに含まれている植物珪酸体という化石を取り出して、時代毎の変化を調べて比較します。それによると御所野はもともとは森林だったが、縄文

▲図 56　落葉広葉樹に囲まれた縄文ムラ

◀図 57　縄文里山作りの観察会

時代になってから人が利用しはじめ、中期になるとは草地になっていたと考えられています。もうひとつは花粉の調査です。御所野遺跡の西側の崖際で一万年以上堆積した古い地層が確認できました。縄文時代中期になってからクリやコナラ、トチノキなどの花粉が増えることから、当時御所野遺跡の周辺にはこのような落葉広葉樹が多く生えていたことがわかりました。

ところで御所野遺跡の東の丘陵地には広範囲にカラマツが生えていました。このカラマツ林は第二次世界大戦後国が積極的に推奨して植林した朝鮮カラマツですが、縄文時代にはなかったということで遺跡公園のオープン前にまとめて伐採しました。そうするとそれまでほとんどなかったコナラやクリなどの落葉広葉樹が次々と芽を出してきたのです。カラマツを一気に伐採したことで、まわりが開け、地下に眠っていた落葉広葉樹が一斉に芽吹いて、競って上に伸びたため、あれよという間に高さ30m以上の高木となりました。この地区は縄文の森として活用する予定でしたので、異常に伸びた高木はふさわしくないと判断して、10年後にこのような落葉広葉樹も少しずつ伐採しました。

このようにして最近ようやく縄文人が利用した森、縄文里山が再現されつつあります。

自然とともに生きた縄文人

縄文人が自然をどのように利用し、それにどうかかわったのか、ということはまだわからないことが多くあります。御所野遺跡では縄文里山づくりの一環として、木の実を採取したり、木を伐採したり、蔓や竹で編物を編んだする体験学習を行っていますが、自然を利用する時期は限られています。それを御所野遺跡の季節毎の体験を縄文里山カレンダーとしてまとめています。発掘調査でわかったものを最優先とし、さらに民俗調査などで得られた情報などを加えて、その年ごとに活動計画を作成しています。カレンダーは最新の研究成果をもとに作成しており、今後も発掘調査や研究の進展を反映した、新しい情報を加えていきます。

発掘調査で出土した木製品などから、利用する目的によって利用する樹種が異なることはよく知られていますが、なかにはその目的

図 58　開けた場所のクリ（実を採取する木）

図 59　森の中のクリ（建築材となる）

に合わせて手を入れて育てているということもわかってきました。ここではクリの木の例を紹介しましょう。クリはもともと陽樹で、陽のあたる方向に枝が伸びて、その先に多くの実をつけます。したがって開けた場所で生育するクリの場合、枝が四方八方に伸びます。ところが森のなかのクリはまわりの木と競って上に伸びるためまっすぐな木になります。このような木はあまり実をつけないし、早くから枝打ちをすることで節のない、よりまっすぐな木に育ちます。縄文人がクリを利用する場合、前者は実を採取する木、後者は建築材に利用する木というように使い分けた可能性があります。このように縄文人はそれぞれの木を利用する目的にあわせて育てていた可能性があります。

御所野遺跡
ものがたり
6
章
世界遺産になった！
御所野遺跡

ボランティアの活躍

自然と歴史の会（1996～）

一戸町内の発掘調査は1976（昭和51）年に始まりました。当時は発掘調査が終わるたびに現地説明会を開催し、毎回100人以上の人が参加していたし、社会教育課や公民館などで歴史講座や郷土史講座が開かれており、町内には多くの文化財ファンがいました。そんななか、1989（平成元）年、御所野遺跡がマスコミに大々的に取り上げられたのです。遺跡の保護運動がはじまるとともに文化財に対する関心が一気に高まりました。そんな時に御所野遺跡と地域の文化財を生かそうということで設立されたのが「自然と歴史の会」です。

御所野遺跡を支える会（2001～）

御所野遺跡の整備が順調に進み博物館建設もはじまったことから、教育委員会では2000年（平成12年）から遺跡を案内をするガイドの養成講座をはじめました。すでに活動していた「自然と歴史

図60 自然と歴史の会の一里塚の刈払い

図 61　御所野遺跡を支える会の活動

図 62　発掘友の会清掃活動

の会」の会員をはじめ、教育委員会や公民館などで歴史講座に参加していた人たちなど、多くの町民が参加し毎月１回の講座を１年続けました。

やがて遺跡への入口である「きききのつり橋」が完成し、その一般公開に合わせてガイド活動を始めました。オープンの前年には「御所野遺跡を支える会」が設立され、正式にガイドがスタートしたのです。設立当初の会員は 45 人でしたが、全員がガイドをしていたし、ガイドの内容は発掘調査の情報が増えると毎年のように研修会を行って会員自らが手引き書やその改訂版をつくるなど意欲的に活動をしてきました。

発掘友の会

遺跡の発掘調査に参加した人達によって結成されたのが「発掘友の会」です。国道4号一戸バイパス工事に伴う調査では、80名近くの町民が、縄文時代から弥生時代、古代、さらには中世城館の一戸城跡など19遺跡の発掘調査に参加しました。その調査に参加した人たちが、御所野公園がオープンしてから2年後に結成したのが発掘友の会です。博物館には自分たちが調査した土器や石器などが展示されているし、遺跡公園のなかの配石遺構などは、自分たちが実際に発掘したということもあって、その扱いには慣れているおり、自分たちが清掃したり、管理した方が遺跡の保護にもなるということで結成しました。ここに紹介した「自然と歴史の会」、「御所野遺跡を支える会」、「発掘友の会」の3団体が中心となって平成20年に「御所野遺跡ボランティア連絡協議会」を立ち上げました。

御所野愛護少年団

同じころ御所野愛護少年団も活動をはじめました。御所野遺跡の学区内にある全校児童150人程度の一戸南小学校で結成された団体です。遺跡に近いこともあって最初に6年生全員が遺跡の見学にきました。遺跡が予想以上に広かったことや、全国ではじめて確認された縄文時代の土屋根住居の発掘現場を見て感動し、この遺跡の保

図63　愛護少年団のガイド活動

存に協力したいということで1999年（平成11）年に結成しました。

当初は遺跡内の清掃活動や山野草を植えたりという環境整備が中心でしたが、しだいに遺跡そのものに興味を持つようになり、自分たちで調べて、学校や博物館で発表するようになりました。調査の成果は、「御所野遺跡ガイドブック」や「御所野新聞」などにのせて積極的に広報活動にも力を入れるようになりました。そのひとつとして6年生全員が修学旅行先の仙台で遺跡のPR活動を行っています。2021（平成21）年からの数年間は、東日本大震災の影響で北海道函館市に出かけていますが、なかには子供たちの説明に興味をもって、わざわざ遺跡を訪れる人もいました。

そのような活動を繰り返しているうちに自分たちで調べた縄文文化や御所野遺跡について、遺跡の見学に来た人々に説明しようということになり、ガイドもはじまりました。今では5年生の夏までにガイド研修を繰り返し、秋から本格的にガイドをはじめて卒業まで続けています。なかには小学校卒業後中学校や高校に行ってからも夏休み中にガイド活動をしたり、中学生の海外派遣事業に応募して派遣先のアメリカで御所野遺跡を英語で紹介したりするなど、活動の幅がどんどん広がってきました。結成から20年以上たった現在も活動は続いており、各方面で高く評価されています。最近、環境省所管の活動として認められ、内閣総理大臣賞を受賞しています。

御所野遺跡をきれいにしたい！　クリーンデー

御所野遺跡では定期的に活動しているボランティア団体のほかにも町内のいろんな団体が清掃活動を行ないました。そのきっかけとなったのが愛護少年団の活動です。史跡公園のオープン前、2001

年（平成11年）の春と秋に2回実施しました。翌年からは自然と歴史の会とともにボランティア養成講座のグループも加わり、この3団体が中心となって、4月は「たんぽぽ交流会」、10月には「もみじ交流会」として合同の清掃活動を行っています。現在のようにいろんな団体や個人が自由に参加するようになったのは2005（平成17年）からです。最近は参加者が多くなってきたこともあって、御所野遺跡のなかだけではなく、国道4号線から駐車場までのアクセス道路や遺跡の周辺まで範囲を広げて実施するようになりました。このころから作業の終了後、発掘友の会の皆さんによる手づくりの昼食をふるまうようになりました。清掃活動をクリーンデーとしてからは、地域の婦人団体である西法寺コスモス会など、一般の団体や個人の参加者も増えてきました。当初は文化団体が中心でしたが、2010年（平成24年）からはスポーツ団体、2012（平成26年）からは民間会社も参加するようになりました。このころから毎回200人以上が集まるようになりました。

図64 作業内容の打ち合わせ

図65 作業終了後の昼食会

NPOの活躍

御所野遺跡の史跡公園と博物館の運営に「いちのへ文化・芸術NPO」が関わるようになったのは2011年（平成16年）の設立当初からでした。御所野縄文公園がオープンしてから２年後のことです。当時はまだ遺跡公園は全国的にみても一般的でなかったこともあり御所野遺跡もほとんど知られていませんでした。近隣の人たちがついでに訪れるような施設で、わざわざ遠くから観光バスなどで訪れるということもほとんどありませんでした。そのために最初に考えたのが、遺跡に来てもらって、遺跡のことを知ってもらおうという趣旨でいろいろな事業を実施してきました。その際御所野遺跡は国指定史跡であるし、博物館は登録博物館でもあることから、それにふさわしい事業が要求されました。そのようなことから活用事業を次のような３段階に分けて実施しました。このような取り組みが評価されて、2004年（平成16年）には、佐賀県と静岡県で開催された全国の埋蔵文化財担当職員講習会で発表しています。

活用A

史跡、あるいは縄文にかかわらず遺跡にできるだけ多くの人に来てもらうための事業、例えばコンサート、郷土芸能発表会など広範囲な事業

活用B

史跡、あるいは縄文、さらに博物館に関係のある事業、縄文キャンプ、縄文体験、体験メニューとしては土器づくり、石器づくり、アンギン編み、樹皮編み、蔓細工、耳飾り、アクセサリーづくり

活用C

研修講座、縄文講演会、トーク、シンポジウム

企画展、特別展など、刊行物の発行、遺跡に関する情報提供

このような活動の中心となったのがNPOの職員です。特に活用Bについては大学などの研究者とNPOの学芸員が共同で実施しており、考古学的な知識はもちろん、その実務を行いながら博物館の体験事業などを次々と開発してきました。その後世界遺産候補となったこともあって、さらにレベルアップを図り、縄文文化を世界に発信するという目的で取り組んだのが縄文里山づくりです。10年以上の長い年月をかけて地道に取り組んだことで、5章で説明しているような「縄文人が見た風景」がようやく現実になりつつあります。このような自然相手の取り組みは、毎年同じように手をかけて利用しなければすぐ元に戻ってしまうので、継続することが重要です。

自然を利用した物づくりの技術は、幸運なことに一戸町には多く残されています。鳥越の竹細工、面岸の箕づくり、あるいはブドウ蔓やアケビ蔓、イタヤカエデなどでのカゴづくりなどです。竹細工はスズタケ、箕はサルナシを材料としますが、同じ材料を縄文人も使っていたことが各地の遺跡の発掘調査で明らかになってきました。幸い御所野遺跡の周辺では、1章で説明しているように、このような植物は遺跡両側の崖など変化に富んだ地形のいたるところに生育しています。このような植物を利用して、今に伝わる技術を習得して、それを博物館活動に活かし、広く全国や世界に発信してきたのがNPOの職員です。

コラム7　命をつなぐウルシの木

　ある年の秋、強風が吹き荒れた日の翌朝、博物館のそばにあったウルシの大木が倒れていました。この木は遺跡の発掘調査がはじまる前からあった古木で、漆掻き職人が樹液を採取した跡がそのまま刻みとして残っていることから、遺跡の見学者を最初に案内する場所でもありました。

　ところがその２年後、倒れたウルシの木の周辺から新しい漆の芽が次々とでてきたのです。よく観察してみると、その年だけでなく、毎年新しい芽が続々と出てきました。木が倒れる前は全く生えていなかった芽が、次々と出てくるのが不思議でしたが、新芽が生える範囲とその方向を観察したところ、根が伸びる方向と一致していることから、どうやら地中に残っていた根から新しい芽が出てきたようです。おそらく母体である木が倒れたので、その命をつなぐために、新しい芽が次々と出てきたのでしょうか。あらためて植物の生命力と不思議な力を知ることができました。もしかすると、縄文人はこのような特性を熟知してウルシの木を増やしていったのかも知れません。御所野遺跡縄文博物館では、ウルシ林の木を一斉に伐採して、そこから出てきたひこばえをどのようにして育てて利用していたのかを探る実験も行っています。

嵐で倒れたウルシの大木

伐採した後に芽吹いたウルシの幼木

ウルシの幼木がどのように育つのか観察

ウルシの大木が
倒れた後 新しい芽が
次々と出てきた

世界遺産への運動はボランティアから

御所野遺跡がオープンした2022（平成14）年、青森県三内丸山遺跡と秋田県大湯環状列石、そして岩手県御所野遺跡の3遺跡で「縄文週間－縄文のこころとまつり」というテーマで共通の事業を開催しました。これが北の縄文遺跡群の交流のはじまりでした。そもそもこの事業は1995（平成7）年）に東北経済連合会が、東北の21世紀の地域づくりのために「豊かな自然環境」と「縄文文化」をキーワードとする「環十和田プラネット構想」という提言を発表しており、それに賛同した国土計画協会が「縄文文化などの歴史的・文化的環境と美しい景観を継承しながら地域づくりの資源として活用しよう」ということではじめた事業でした。2003（平成15）年には北海道南茅部町（現在函館市）の大船遺跡で新たに結成された「北の縄文クラブ」というボランティア団体も参加して4道県の交流事業となりました。交流事業のなかで計画されたのが「縄文文化回廊事業」でした。さっそく4道県のボランティア団体が共通の提言書をつくり、それぞれの知事に提出したところ札幌で開催されていた北海道・北東北の知事サミットで採択されたのです。

北の縄文文化回廊づくり

4道県で検討チームが結成され、2004（平成16）年から事業がスタートしました。具体的な計画は各地域の活動団体の代表者が中心となり、行政のほか博物館等の専門職員、大学の学識経験者などで構成された「北の縄文学交流会議」のなかで情報を交換しながら進めてきました。会議は北海道の函館市ではじまり、それに合わせて

図 66　北の縄文文化回廊づくり講演会（一戸町）

同じ北海道の伊達市で展示会やフォーラムなどを開催しています。2005（平成 17）年には青森市の三内丸山遺跡、2006（平成 18）年は秋田県秋田市、2007（平成 19）年は岩手県一戸町で開催しており、岩手県では「北の縄文文化回廊展」を岩手県立博物館と御所野縄文博物館の 2 カ所で開催しました。「北の縄文文化回廊事業」はその年に終了しましたが、2008（平成 20）年に 4 道県のボランティア団体が中心となって「北の縄文文化回廊づくり推進協議会」が結成され、現在も活動してます。なおアクションプログラムや報告書のなかに将来この事業を基盤として世界遺産の登録を目指すということが初めて明記されました。

世界遺産候補の公募

平成 18 年（2006）文化庁が日本国内の世界遺産候補を公募しました。それまで日本の世界遺産候補は国の文化財審議会で決めていましたが、この年はじめて公募したのです。公募期間が 2 カ月という短期間だったこともあって、4道県のうち岩手県をのぞく北海道、青森、秋田がそれぞれの縄文遺跡を構成資産として応募しました。応募する場合は少なくとも2件以上の構成資産が必要だということもあって御所野遺跡以外に準備していなかった岩手県はこの年応募できなかったのです。

結果的に3道県の提案はいずれも採択されず、もっと広い範囲で縄文文化を検討するようにとの課題が出されたということもあり、翌年4道県が共同で「北海道・北東北の縄文遺跡群」として応募したところ、35件という多くの候補のなかから正式に世界遺産候補として選定されたのです。

世界遺産に登録されるには、それぞれの遺跡（資産）の普遍的な価値を証明しなければなりません。あらかじめ定められている評価基準にもとづいて、それへの適合性の証明やその完全性、あるいは真実性を説明するとともに、国内や世界における先史時代の遺跡との比較研究などによってその価値を証明しなければなりません。各遺跡ではそれぞれの遺跡（資産）の範囲を確定させて、その周辺に緩衝地帯（資産を保護するための区域）を設けなければなりません。そしてそれを保護するための条例化の作業も必要になります。その後正式に日本国から推薦されてユネスコの世界遺産暫定リストに記載されるとともに、4道県の組織が結成され、登録に向けた取り組みが本格的にはじまりました。

御所野遺跡、世界遺産になる！

「北海道・北東北の縄文遺跡群」は、青森県を中心として秋田県と岩手県の県北部と北海道南部までの縄文時代草創期から晩期まで

図 67　世界遺産登録決定

の遺跡を対象としており、そのなかの 17 遺跡が構成資産となっています。このように遠く離れれているいくつかの資産を世界遺産にする場合は、シリアルノミネーションと呼ばれ、それぞれの遺跡の関連とともに、全体での普遍的な価値や完全性、真実性などを証明しなければなりません。そのための作業は登録推進本部のなかに設けたプロジェクトチームを中心として数年間検討してきました。

そのなかで明らかになってきたのは、17 遺跡はそれぞれ一万年以上続いた縄文時代の各時代の遺跡がいずれも含まれており、しかも沿岸、河川域、丘陵、山岳、湖沼地帯など、多様な自然環境の立地にして、狩猟・採集・漁撈を基本とした定住生活が長期に継続された、世界でも稀な文化であるということが確認されました。

構成資産となる各遺跡は、①縄文時代のはじまりの時期、②集落が成立して発展・充実した時期、③精神性や芸術性が顕著になって成熟した各時期に含まれており、その内容は豊富な出土遺物などから具体的に知ることができます。なかでも北海道南部から東北北部は縄文時代を通じて交流が最も活発な地域であり、時期毎に特徴的な文化圏が形成されてきました。その基本となったのが縄文時代前期の中頃から中期中頃まで続いた円筒式土器文化圏です。円筒形という独特な器形に象徴されるように、緊密な文化が色濃く残る地域となっています。この文化圏を背景として、大規模な環状列石や周堤墓などが出現し、やがて東日本全域に影響を与える亀ヶ岡文化が成立します。このように、縄文時代のはじまりとともに、この地域独特の自然環境のなかで地域文化圏が形成され、なおかつそのうつりかわりを具体的に説明できるのが「北海道・北東北の縄文遺跡群」です。そのなかで御所野遺跡は内陸の河川沿いに営まれた縄文時代中期を代表する遺跡で、墓を中心とした大集落から居住地が離れて分散するという縄文社会が大きく変化する時期の遺跡で、その変化を具体的に説明できる重要な遺跡となっています。

なぜ縄文遺跡が世界遺産に

もともと人類は長い間食糧を求めて移動する狩猟採集民でした。15,000年前ころになると急激な温暖化によって大型動物が減少するとともに、いろいろな植物を多く利用するようになると東アジアの沿海州や中国各地、あるいは日本列島ではじめて土器がつくられます。このような土器の出現とともに同じ場所に住み続ける生活、定住がはじまりました。

世界では乾燥地帯と森林地帯との間で、今から一万年前に小麦や大麦、あるいは豆類などを育てる農耕がはじまりました。それに対して湿潤な東アジアでは、中国北部でいちはやく森を開いてアワやキビなどの穀物栽培がはじまり、それよりやや遅れて南の揚子江流域で初めてコメがつくられます。このような農耕はやがて世界へと広まりますが、東アジアの森の多い場所では農耕を行わないで、同じく森林を背景とする別な文化（森林文化）が継続しました。このような文化はロシア極東の南部から、さらに朝鮮半島までの日本海を中心とする地域であり、狩猟と堅果類の採集のほか、サケマスなど川や海洋の漁撈をいとなみ、竪穴建物に住み、しばしば貝塚を形成するという事で共通していました。このような文化は環日本海文化圏と呼ばれており、縄文文化もそのひとつと考えられています。そのなかでも日本列島は、まわりが海に囲まれているということもあって、東日本ではコナラ・ミズナラのほかブナやトチノキ、クリ、イタヤカエデなどの落葉広葉樹、西日本ではシイ、カシ、クスノキなどの照葉樹林の森が多く分布していますが、そのなかでも北日本の落葉広葉樹林は樹種が豊富で、動物や人間の食糧となる木の実などの植物が多いことから北方ブナ帯と呼ばれています。このような自然環境を背景として世界でも珍しい農耕に頼らない稀な文化が確立されました。それが世界遺産としての価値でもあり、それを象徴するのが「北海道・北東北の縄文遺跡群」です。

御所野遺跡の価値

御所野遺跡の周辺には現代的な建物はほとんどありません。もともとは遺跡一面が畑地でそれを囲むようにその周辺の崖にいろいろな木々や蔓が連なり、遠くの現代的景観が遮ぎられることもあって、自然豊かな縄文時代の風景をそのまま演出した空間となっています。さらに偶然ですが、畑のところどころにはクリ林やウルシの木々などが植えられており、御所野は発掘する前から縄文遺跡にふさわしい場所となっていました。このような場所で発掘調査をしたところ、縄文時代のムラの跡が出てきたのです。まるで将来の縄文公園が予定されていたかのような自然景観が御所野にはあったのです。これが遺跡としての御所野遺跡の価値のひとつです。

御所野遺跡は、このような自然豊かな場所で、ほとんど破壊されずに継承されてきた、きわめて保存状態の良い遺跡でした。したがって地層もそのまま残されており、縄文時代の自然環境を復元する上で貴重なデータが得られました。

遺跡としての御所野遺跡のもうひとつの価値を紹介します。御所野遺跡は墓を中心とした典型的な縄文時代のムラの跡ですが、それとともに焼けた住居跡がいくつも発見されており、その調査で土屋根の竪穴住居が確認されました。焼け残った炭化材から建物の構造がかなり具体的に明らかになってきたのです。

ところで御所野遺跡は北と南の文化が触れ合う場所に位置しています。ある時期に南の文化の影響を強く受けてムラのしくみが変わります。その後、御所野遺跡で長期に続いたムラが周辺に分散し、御所野遺跡は分散した人達の墓と祈りの場所となります。このような社会の変化は御所野遺跡だけではなく、北東北から北海道にかけての地域、さらにはもっと広い地域で起こった縄文社会全体の大きな変化だと言われています。このように御所野遺跡は時代的にも地理的にも、縄文社会が大きく変った時期の遺跡であり、縄文時代の研究を進める上で欠かせない貴重な遺跡となっているのです。

コラム8　御所野という地名

今から5,000年前にはじめて御所野に人が住みついてから、ここで長い間、人が生活をしていたことが発掘調査で明らかになっています。縄文時代の御所野ムラは、おおよそ800年程続いたと考えられ、その後、ムラは周辺に分散し、御所野は墓だけの特別な場所となりました。

古代には土を高く盛った古墳もつくられました。縄文時代の墓があった同じ場所に、直径10m前後の円形の墓（円墳）が22基南北に連なって見つかりました。御所野遺跡の周辺には古代の遺跡がいくつもあり、竪穴住居などがたくさん発掘調査されていることから、このような集落遺跡とかかわりのある豪族の墓ではないかと考えられています。遺跡の北側では小規模な中世の館跡も確認されており、その近くでも中世の共同墓地が見つかりました。そこでは墓穴から人骨も発見されています。

現代では、御所野遺跡のまわりには民家が全くなく、住宅はいずれも南西側の崖や、その下の狭い場所に密集しています。

このことから御所野という地名は、墓のある場所、つまり死んでから行く場所、「後生野（ごしょうの）」に由来するとも考えられます。縄文時代以来の墓のあるところが「後生野」と呼ばれ、それが「御所野」と表示されるようになったと思われます。

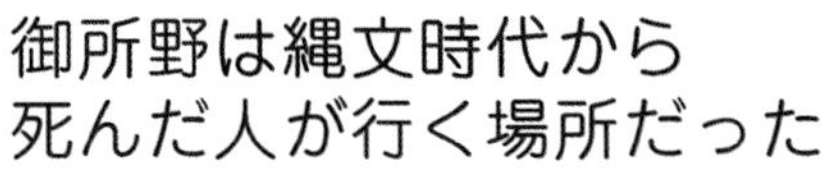

世界遺産を生かした地域づくり

世界遺産を地域に生かすには長い時間がかかります。世界遺産の持っている価値を理解して、それをきちんと伝えるとともにその価値を地域の目標としなければならないからです。

それでは縄文遺跡の価値とは何でしょうか。

日本列島は狩猟採集漁撈活をする上で恵まれた地域ですが、このような自然環境に適応してそれを巧みに利用した文化が縄文文化です。そのなかで最も北に位置する北海道・北東北の縄文遺跡群は、本来高地にあった落葉広葉樹林がより寒い北に位置することから生活の身近にあり、しかもそれぞれの四季の変化がはっきりとしていることから、四季毎の恵みをそのまま利用できます。縄文時代にこの地域が栄え、ほかの地域に大きな影響を与えたのも、この豊かな環境があったからだと考えられます。以上から年間の四季毎のスケジュールのなかで、自然を利用する仕組みができてきたのでしょう。そのような仕組みが確立していたからこそ、それぞれの遺跡で数百年、あるいは千年という単位でムラが続いたと思われます。

世界遺産としての縄文文化を地域づくりに生かす方法はふたつあると私は考えています。ひとつは、自然と一体となった取り組みを地域ごとに進めることです。幸い私たちのまわりには縄文人が育てた、縄文人がみた景観とほぼ同じものが各遺跡のなかや周辺にも残されています。そのような景観の魅力を高めながら、縄文人の生活スタイルを体感できる、いいかえれば数千年という時間を隔てた過去への時間旅行が可能な空間ができれば、多くの人が遺跡を訪れると思います。

もうひとつは一万年という長い間に培われた縄文時代の精神文化を今に生かすことです。縄文人は豊かな自然環境のなかで自然と一体となったくらしを続けることで、自然に関わる多くのことを学んだに違いありません。例えば季節ごとの採集や自然の変化に合わせた樹木の利用など、数年後、十数年後を見据えた自然との関わりです。多くのことを自然から吸収したに違いありません。このような中で生み出されたのが縄文人の精神であり、思想です。これを知育の根本に据えて学校教育や社会教育のなかで生かすことこそほかにはない特徴ある地域づくりになると思います。その際も縄文人にならって、急がず、あせらず、大きな時間軸のなかで実施すること、これが究極の地域づくりにつながるのではないでしょうか。

このような地域づくりでのターゲットは海外の人です。なぜならこのような自然を活用した生活や体験は、海外ではあまり経験できないし、縄文の思想そのものが将来はもっと世界の人たちから注目されると確信しているからです。

以上が世界遺産としての御所野遺跡を地域づくりとして生かす唯一の方法だと私は考えています。無理して人を集めたイベントなどは長続きしません。あっという間に人は来なくなります。また遺跡の魅力とは関係のないイベントには、わざわざ遠くから人は来ないでしょう。世界遺産としての魅力は、御所遺跡にしかない縄文人の残した世界遺産としての価値をグローバルな視点で生かすことで海外からも多くの人が訪れてくれると信じています。

縄文遺跡を未来へ

平成元年（1989）に配石遺構を持つ縄文時代の集落跡として御所野遺跡が注目されてから35年が経過しました。開発にともなって始まった発掘調査で台地のほぼ全面が遺跡だということで保存され、国指定史跡となり、史跡公園として整備されました。

御所野縄文公園の大きな特徴のひとつは遺跡に多くの住民が関わってきたということです。地域住民の活動は発掘調査とともにはじまりました。調査が継続されて新しい情報が次々と明らかになるとともに、並行して建物復元のための実験研究などを繰り返しながら進めてきました。やがて博物館や史跡公園が形として見えはじめると遺跡に関わっていた人たちが中心となってボランティア団体を結成して本格的な活動をはじめました。活動は2002年の史跡公園のオープンを期にさらに活発になりました。遺跡のガイドや清掃活動、山野草の植栽、植物調査、さらに遺跡公園で行なわれるイベントなど、住民が主役となって遺跡の活動をリードしてきました。このようなボランティアの活動に触発されたように町内会、婦人団体、老人クラブ、子供会、スポーツ団体など多くの町民が遺跡に関わるようになりました。

御所野遺跡のボランティア活動は、やがて県境を越えた青森県、秋田県の縄文遺跡との交流となり、さらに北海道南部まで広がり、まるで縄文時代の文化圏と軌を同じくした活動となってきたのです。またこのようなボランティア団体の活動にあわせたかのように国内の世界遺産候補の公募がありました。2009年に「北海道・北東北の縄文遺跡群」としてユネスコの暫定リストに記載されたことで世界遺産登録をめざした４道県の長い取り組みがスタートしました。当時国内には世界遺産候補がいくつもあり、加えてユネスコが全体の世界遺産の数を抑制する方針だったこともあり、縄文遺跡群の登録はなかなか前に進みませんでしたが、世界遺産登録に向けた運動はさらに高まり、2021年７月に「北海道・北東北の縄文遺跡群」の構成資産のひとつとして御所野遺跡も世界遺産に登録されました。2009年に国内推薦候補となり国連教育科学文化機関（ユネスコ）の暫定リストに記載されてから12年後のことでした。

縄文文化のキーワードは多様性だと考えています。今回の世界遺産登録で評価されたのは、日本列島の多様な地形と自然環境のなかで、それぞれの地域に合わせて次々と変化する自然に対応しながらつくりあげたのが縄文文化だと思います。

御所野遺跡ではそれを実感できる遺跡として整備を進めてきましたが、それを伝える上で欠かせないのが遺跡に関わる人とその取り組みです。御所野遺跡には多くの人達が遺跡に関わっており、その人たちと一緒に世界遺産となった縄文文化をこれからも伝えていきたいと考えています。

おわりに

御所野遺跡を通してできるだけ多くの方に縄文文化を理解してもらいたいというのが私の長年の夢でした。世界遺産になったことでその思いは一層強くなりました。縄文文化が理解されないまま、世界遺産ということで遺跡が独り歩きするのではないかと危惧していたからです。本書はこのような考えから、御所野遺跡の保存と活用に関わった「いちのへ文化・芸術NPO」が編集協力をして、これまでに明らかになった御所野遺跡についてまとめてみました。いかがだったでしょうか？

御所野遺跡の調査では、考古学や自然科学の専門家など多くの方々にご指導をいただいてきました。御所野遺跡が世界遺産となり、このようなかたちで本書をまとめることができたのも、その方々のご指導によるところが大きいと考えています。

遺跡の評価は、地域住民や遺跡に興味を持つ人がどれほど関わるかによって決まると言われています。御所野遺跡はそのモデルと言われるほど、多くの方々に関わっていただきました。このようなたくさんの方々にご支援をいただいて国指定史跡となり、世界遺産になりました。

本来であれば関わっていただいたおひとりおひとりとお会いして御礼を申し上げたいところですが、本書を通じて今までのご協力に感謝を申し上げます。長い間、御所野遺跡を応援していただきほんとうに有難うございました。心からお礼を申し上げます。

御所野遺跡はこれからも末永く、後世に伝えていかなければなりません。遺跡のもつ価値やその重要性を次世代に継続することが、世界遺産として登録された遺跡の責務でもあります。日本の誇る世界遺産「北海道・北東北の縄文遺跡群」のひとつとして、今後も保存していくため、改めて皆さんのご支援・ご協力をお願いしたいと思います。

最後になりましたが、本書の作成にあたって、岡村道雄さんをはじめ、辻誠一郎・羽生淳子・佐々木由香・桐生正一・菅野紀子さんに専門的な視点でご指導をいただきました。「いちのへ文化・芸術NPO」の吉川真由美・松田真美子・鈴木雪野・木村由美子・畠 洋次・後藤総一郎をはじめとする職員（当時）には、さまざまなかたちで協力をしていただきました。本書に収録した「コラム５茂谷山は祈りの山」は鈴木雪野がまとめています。

なお本書は「いちのへ文化・芸術NPO」が編集協力して作成し、岩手県文化振興基金の助成事業を受けて刊行しました。

「社会に還元できないものは学問ではない」というのが、ご指導をいただいた辻先生の口癖でした。本書はそのことを念頭にまとめたつもりです。昨年秋にご病気で倒れた辻先生の一日も早いご回復を、心からお祈り申し上げます。

2024年6月

高田和徳

1　御所野遺跡と世界遺産の仲間たち

―北海道・北東北の縄文遺跡群（2021 年 7 月 21 日　世界文化遺産登録）―

Q1　縄文遺跡群が世界遺産に登録された理由

1. 縄文文化は豊かな自然環境のなかで、狩猟採集漁撈の生活を確立して定住し、一万年以上という長い期間継続した文化で、そのはじまりから発展、成熟という文化の移り変わりを具体的に説明できる世界的にも稀な文化です。
2. 縄文遺跡は海岸部や河川の流域、さらには丘陵地や山地など、変化に富んだ自然地形での動植物の生態に適応した自然との関りを確認できる多様な遺跡が多く、それぞれの個性が交流するなかで狩猟採集社会としてはたぐいまれな独自の文化が形成されています。
3. 火山灰台地の多い日本列島のなかで、縄文人の活動などの痕跡が各遺跡ともきちんと残されており、集落のかたちや貝塚や墓などから生活の基本となった土器や石器とともに、縄文人の精神性をあらわす土偶など、先史時代としては稀な生活文化の実体が明らかになっています。
4. 海洋性の気候により春、夏、秋、冬という四季毎の自然の変化に対応してくらすシステムとともに、頻発する火山活動や地震津波、さらには集中豪雨や豪雪などの自然災害をのり越えて、長期の持続的な生活文化が形成され、そのなかで豊かな精神性が形成されました。

Q2　なぜ北海道と北東北の縄文文化が注目されたのですか？

縄文文化は日本列島のほぼ全域に分布し、それぞれ地域ごとの自然環境の特徴に合わせた生活文化が形成されています。なかでも東日本は落葉広葉樹という多様で豊かな植物群が広がり、縄文文化が色濃く残る地域です。なかでも北海道・北東北の地域は、縄文人にとって、より安定した食料の確保が可能な地域だったため、縄文遺跡が最も多く、なかには並外れた規模で長期にわたって維持された遺跡が多く見つかっています。

Q3　御所野遺跡との関係は？

13000年続いた縄文文化のなかで、御所遺跡は墓を中心とした規模の大きい遺跡が各地でつくられた5,000年前から4,000年前の縄文時代の中頃の遺跡です。墓を中心として、いろいろな施設が同じ場所に集中する大きな集落が形成された時期でした。その後縄文集落は居住施設と墓域が分離して、居住地が周辺に分散する社会へと大きく変わります。このような縄文社会の大きな変化とともに大規模な環状列石がつくられるようになり、御所野遺跡以降、大湯環状列石や伊勢堂岱遺跡や小牧野遺跡がつくられるようになります。御所野遺跡は北海道・北東北の縄文遺跡群が大きく変化する時期で、その前半と後半をつなぐ重要な遺跡となっています。

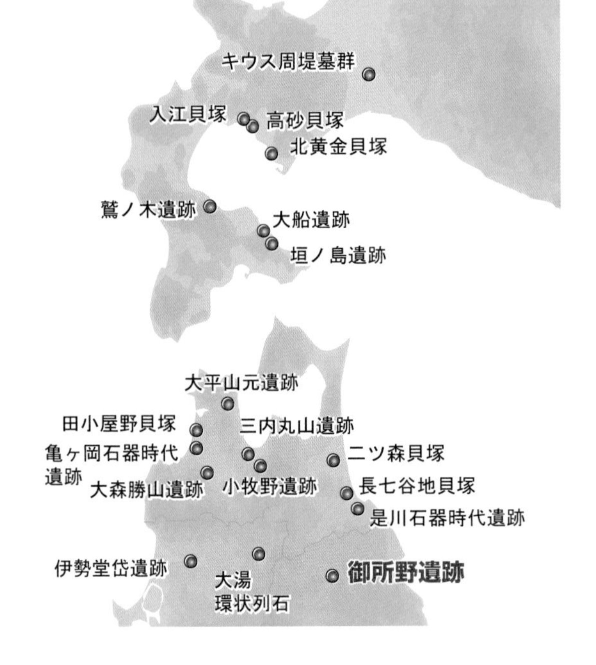

世界遺産に登録された北海道・北東北の縄文遺跡群

NO.	遺跡名	場　所	年代	説　明
1	大平山元遺跡	青森県外ヶ浜町	Ⅰa	定住のはじまりを示す土器と住まい
2	垣ノ島遺跡	北海道函館市	Ⅰb	墓域を含む集落の形成のはじまり
3	北黄金貝塚	北海道伊達市	Ⅱa	送りの場である貝塚がつくられる。
4	田小屋野貝塚	青森県つがる市	Ⅱa	日本海側の集落につくられた貝塚
5	二ツ森貝塚	青森県七戸町	Ⅱa	湖水のまわりにつくられた貝塚
6	三内丸山遺跡	青森県青森市	Ⅱb	陸奥湾岸沿いの大規模な集落跡
7	大船遺跡	北海道函館市	Ⅱb	噴火湾沿いの大規模な集落跡
8	御所野遺跡	岩手県一戸町	Ⅱb	内陸の河川沿いにある大規模な集落跡
9	入江貝塚	北海道洞爺湖町	Ⅲa	内浦湾岸沿いの貝塚　貴重な人骨などが出土
10	小牧野遺跡	青森県青森市	Ⅲa	三重の環状列石と豊富な祭祀遺物
11	伊勢堂岱遺跡	秋田県北秋田市	Ⅲa	四つの環状列石と土偶を中心とする祭祀遺物
12	大湯環状列石	秋田県鹿角市	Ⅲa	ふたつの環状列石と掘立柱建物跡
13	キウス周堤墓群	北海道千歳市	Ⅲb	土を高く盛り上げた大規模な共同墓地
14	大森勝山遺跡	青森県弘前市	Ⅲb	岩木山麓につくられた環状列石
15	高砂貝塚	北海道洞爺湖町	Ⅲb	内浦湾につくられた貝塚
16	亀ヶ岡石器時代遺跡	青森県つがる市	Ⅲb	低湿地にある遺跡
17	是川石器時代遺跡	青森県八戸市	Ⅲb	内陸の河川沿いの低湿地をもつ集落跡

段　階	年　代	説　明
ステージⅠ	a　15,000 年前	竪穴住居とともに土器の使用のはじまり
	b　9,000 年前	竪穴住居のほかに墓がつくられる
ステージⅡ	a　7,000 年前	竪穴住居と墓と貯蔵施設の形成、貝塚の出現
	b　5,000 年前	集落のなかに祭祀の場がつくられる、大集落
ステージⅢ	a　5,000 年前	集落の分散と共同の祭祀場
	b　3,500 年前	各集落ともより祭祀的な色彩の濃くなる、

そのほか同じく世界遺産に関連する遺跡として次のふたつの遺跡がある。
青森県八戸市　長七谷地遺跡（縄文時代早期）8,000 年前
北海道森町　　鷲ノ木遺跡（縄文時代後期）4,000 年前

大平山元遺跡全景

大平山元遺跡　青森県外ヶ浜町

時代　縄文時代草創期

内容　縄文時代で最も古い遺跡のひとつ。住居跡可能性のある場所から石器と土器がまとまって出土した。石器には旧石器時代の特徴があり、最も古い縄文土器が一緒に出土しており、移動生活をしていた人類が定住し始めたころの遺跡。

垣ノ島遺跡盛土遺構

垣ノ島遺跡　北海道函館市

時代　縄文時代早期

内容　太平洋をのぞむ高台にあるムラである。竪穴住居などの生活の場と墓などがあり、縄文時代の最初のころのムラのようすがよくわかる遺跡である。ムラのなかに墓がつくられることで、集落内の結びつきとともに祖先崇拝の意識が強まったと考えられる遺跡である。

北黄金貝塚全景

北黄金遺跡　北海道伊達市

時代　縄文時代前期

内容　北海道の噴火湾をのぞむ丘陵にある遺跡で、貝とともに骨角器などで作成した道具などが大量に出している。貝塚の下の低地にある水場では、破壊された石皿やすり石などがまとまって出土しており、祭祀または何らかの儀礼の跡と考えられている。

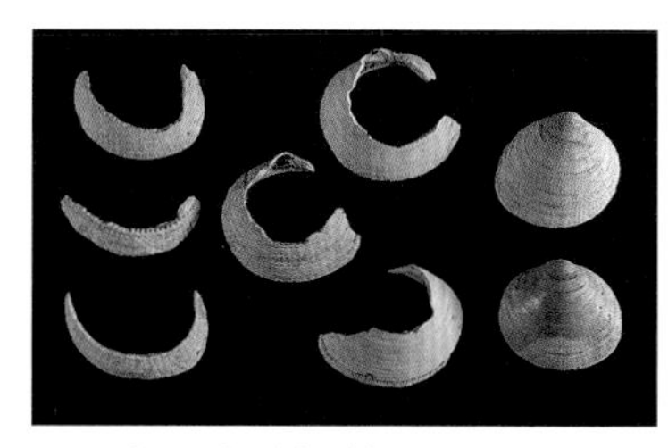

ベンケイガイ製貝輪とその未加工品

田小屋野貝塚　青森県つがる市

時代　縄文時代前期

内容　日本海岸沿いの十三湖に面した遺跡で竪穴住居跡や墓、貯蔵施設が発掘された。ヤマトシジミを主体とした海水と湖水が混じった汽水性の貝塚で、クジラやイルカの骨の加工品やベンケイガイ製の貝輪の未製品が多数出土しており、その製作跡ではないかと考えられている。

二ツ森貝塚貝塚断面

二ツ森貝塚　青森県七戸町

時代　縄文時代前期

内容　太平洋岸沿いの小川原湖に面した貝塚、竪穴住居跡や貯蔵施設などが分布する大規模なムラの跡で、集落のまわりに貝塚が残されている。貝塚では下層で海水性のハマグリやヤマガキ、上層で汽水性のヤマトシジミが見つかっており、気候の変化に対応したくらしの様子がよくわかる遺跡である。

三内丸山遺跡全景

三内丸山遺跡　青森県青森市

時代　縄文時代中期

内容　陸奥湾岸沿いの大規模なムラの跡。大型竪穴住居、6本柱の掘立柱建物、盛土などが30 ha以上のの広大な敷地に密集している。発掘調査で土器などの膨大な遺物が出土しており、2,000点を超す土偶など多種多様なものが見つかった。

大船遺跡全景

大船遺跡　北海道函館市
時代　縄文時代中期
内容　太平洋を望む北海道の代表的な縄文ムラ。深さ2mを超す竪穴住居跡や貯蔵施設、墓、盛土などがあり、盛土から大量の土器・石器などのほか、クジラ、マグロなどともに魚、クリ、クルミなどが祈りの場などからまとまって出土している。

入江貝塚全景

入江貝塚　北海道洞爺湖町
時代　縄文時代前期・中期・後期
内容　隣接する高砂貝塚とともに噴火湾に面した北海道を代表する貝塚である。シカや海獣などの釣針や銛、イノシシの牙や南海性のオオツタノハガイ製貝輪などの装飾品も出土。発見された人骨のなかには難病の痕跡のある人骨もあり、集落のなかで一緒に生きたことを示す貴重な資料となっている。

高砂貝塚全景

高砂貝塚　北海道洞爺湖町
時代　縄文後期・晩期
内容　隣接する入江貝塚とともに噴火湾に面した北海道を代表する貝塚である。後期から晩期にかけての貝塚で30基近い墓が見つかっている。人骨が出土しているものもあり、なかには歯が抜かれているものも含まれている。周辺では縄文時代以降からアイヌ文化期までの各時期の遺構も残されている。

小牧野遺跡 環状列石（小牧野式配列）

小牧野遺跡　青森県青森市

時代　縄文時代後期

内容　径55ｍの円形の環状列石、中央にひとつの輪があり、その外側に二重の輪がめぐり全体が三重となる環状列石で、さらにその外側に一部四重となる箇所もある。環状列石のまわりから土偶などの祈りなどの道具がいくつも出ており、共同のまつり場だと考えられている。

伊勢堂岱遺跡全景

伊勢堂岱遺跡　秋田県北秋田市

時代　縄文時代後期

内容　米代川近くの見晴らしの良い高台にある遺跡で直径30ｍ以上の環状列石が四つあります。環状列石のまわりから土偶や動物形土製品のほか石剣、岩版などの石製品などが多数で出てしている。

大湯環状列石全景

大湯環状列石　秋田県鹿角市

時代　縄文時代後期

内容　大湯川沿いの高台にある遺跡です。万座と野中堂というふたつの環状列石があり、それぞれに日時計状の組石がつくられている。万座遺跡の一部を発掘調査をしたところ、環状列石の外側で掘立柱建物跡の同心円状に配置され、土偶や石刀などのまつりの道具が多数出土している。

キウス周堤墓群全景

キウス周堤墓群　北海道千歳市

時代　縄文時代後期

内容　円形に掘られた竪穴のまわりに高く土を掘り上げた施設で周提墓と呼ばれている。その内側に墓がいくつも掘られている。9基の周提墓が密集しており、最大のものは外径83mで、高さが4.7mとなっている。この地域独自の巨大な施設である。

大森勝山遺跡全景

大森勝山遺跡　青森県弘前市

時代　縄文時代晩期

内容　岩木山の山麓につくられた大規模な環状列石。環状列石は盛土した小高い墳丘の縁に77基の組石が円形にならべており、全体が径40mとなる。冬至には太陽が岩木山の山頂に沈む。隣接して径13mの大型竪穴が発掘されており、環状列石とと同じ祭りの施設と考えられている。

亀ヶ岡石器時代遺跡全景

亀ヶ岡石器時代遺跡　青森県つがる市

時代　縄文時代晩期

内容　十三湖に面した高台にある遺跡。背後には日本海があり、その間の低湿地から貴重な遺物が出土している。この遺跡を象徴する大型の遮光器土偶や籃胎漆器もここから出土している。漆を塗った土器や玉類などもあり、東北地方の華やかな縄文時代晩期の文化を代表する亀ヶ岡文化の由来となった遺跡。

是川石器時代遺跡遠景

是川石器時代遺跡　青森県八戸市

時代　縄文時代晩期

内容　三つの遺跡のうち、中居遺跡が世界遺産に登録されている。低湿地のなかから漆の塗られた弓や櫛、腕輪、籃胎漆器などとともに、漁撈具や狩猟具、さらに、魚骨などのほか有機質の堅果類や木材などが出土しており、豊かな縄文時代晩期の文化を今に伝えている。

長七谷地貝塚上空から見た貝塚

関連資産　史跡長七谷地遺跡　青森県八戸市

時代　縄文時代早期

内容　五戸川を望む丘陵上に広がる貝塚主体の遺跡。土器、土製品、石器、石製品、骨角器、結合式釣り針など出土。縄文人が縄文遺跡や十和田火山の噴火など、変化する環境に適応しながら生活していたことを示す重要な遺跡である。

鷲ノ木遺跡環状列石

関連資産　史跡鷲ノ木遺跡　北海道茅部郡森町

時代　縄文時代後期

内容　噴火湾の南岸から内陸に立地する遺跡。環状列石や竪穴墓など、祭祀・儀礼にかかわる重要な遺構や遺物が見つかっている。「イカめし」の形にも似た鐸形土製品が出土しており、内側に煤が付着していることから、火の使用に関わっていたものとして注目される。

2　御所野遺跡をもっと知りたい人のために

書籍

御所野縄文博物館編　2018『世界から見た北の縄文』新泉社

御所野縄文博物館編　2019『環状列石ってなんだ』新泉社

御所野縄文博物館編　2021『縄文里山づくり―御所野遺跡の縄文体験―』新泉社

高田和徳　2005『縄文のイエとムラの風景　御所野遺跡』新泉社

高田和徳編　2017『火と縄文人』ものが語る歴史 34、同成社

高田和徳　2019『文化遺産と＜復元学＞―縄文時代の復元事例―』吉川弘文館

高田和徳・菅野紀子　2020『縄文ムラの原風景』新泉社

林謙作・岡村道雄編　2000『縄文遺跡の復元』学生社

松本直子　2005『先史日本を復元する―2 縄文のムラと社会―』岩波書店

本書に関係ある論文

一戸町教育委員会　2003『御所野遺跡環境整備事業報告書Ⅰ』

一戸町教育委員会　2015『御所野遺跡Ⅴ―総括報告書』

一戸町教育委員会　2017『御所野遺跡環境整備事業報告書Ⅲ―総括報告書―』

おかむらみちお　2013「御所野遺跡の縄文時代中期中葉の石器」『平成 24 年度一戸町文化財年報』一戸町教育委員会

佐々木由香　2014「土器圧痕からわかる御所野遺跡の利用植物」『平成 25 年度一戸町文化財年報』一戸町教育委員会

高田和徳　1990「岩手県二戸郡一戸町御所野遺跡」『日本考古学年報』42、日本考古学協会

高田和徳　1993「岩手県二戸郡一戸町御所野遺跡」『日本考古学年報』45、日本考古学協会

高田和徳　1993「縄文中期後半の大集落跡―岩手県御所野遺跡―」『季刊

考古学』42号、雄山閣
高田和徳　1997「御所野遺跡の焼失家屋」『考古学ジャーナル』No.415、ニュー・サイエンス社
高田和徳　1999「縄文時代の火災住居」『考古学ジャーナル』No.447、ニュー・サイエンス社
高田和徳　1999「縄文土屋根住居の焼失実験」『月刊文化財』434号、第一法規出版
高田和徳　2000「土葺き屋根の竪穴住居」『季刊考古学』第73号
高田和徳　2003「縄文集落の復原事例―岩手県御所野遺跡の整備から―」『日本考古学』第15号、日本考古学協会
高田和徳　2003「御所野遺跡の保存と活用」『日本歴史』7月号、吉川弘文館
高田和徳　2010「御所野遺跡の縄文里山づくり」『遺跡学研究』第7号、日本遺跡学会
高田和徳・澤口亜希　2003「竪穴建物の屋内炉での薪燃焼実験について」『考古学ジャーナル』No.574、ニュー・サイエンス社
高田和徳・西山和宏・浅川滋男　1998「縄文時代の土屋根住居の復原(一)・(二)」『月刊文化財』417・418号、第一法規出版
辻　誠一郎ほか　2008「岩手県御所野遺跡におけるトチノキ利用の変遷」『環境文化史研究第1号』環境文化史研究会
辻本裕也　2013「御所野遺跡における立地環境に関する検討」『平成24年度一戸町文化財年報』一戸町教育委員会
秦　昭繁　2015「御所野遺跡の珪化木と珪質頁岩の石鏃製作について」『平成25年度一戸町文化財年報』一戸町教育委員会
北海道新聞・北海道博物館　2023『ユネスコ世界遺産登録記念　北の縄文世界と国宝』
山田昌久ほか　2000「Ⅱ縄文住居復元実験」『人類誌集報2000』東京都立大学考古学報告5、東京都立大学人類誌調査グループ

3　御所野遺跡のあゆみ

平成元年（1989）	御所野遺跡の発掘調査を開始（平成24年度まで継続）
平成2年（1990）	遺跡西側の遺構確認調査
平成3年（1991）	遺跡東側の遺構確認調査『平成2年度発掘調査概報』刊行
平成4年（1992）	『平成3年度発掘調査概報』刊行
平成5年（1993）	国史跡に指定『御所野遺跡Ⅰ』刊行
平成8年（1996）	「自然と歴史の会」発足
平成11年（1999）	御所野遺跡ボランティアガイド養成講座
平成13年（2001）	「御所野遺跡を支える会」発足
平成14年（2002）	御所野縄文公園・御所野縄文博物館オープン
平成16年（2004）	『御所野遺跡Ⅱ』「御所野発掘友の会」発足
平成18年（2006）	『御所野遺跡Ⅲ』
平成21年（2009）	「北海道・北東北の縄文遺跡群」世界遺産暫定リストに記載
平成23年（2011）	『御所野遺跡Ⅳ』刊行 西側の一部を史跡範囲に追加指定 御所野縄文博物館展示改修工事
平成24年（2012）	御所野縄文博物館リニューアルオープン
平成25年（2013）	『御所野遺跡Ⅴ』刊行
令和元年（2019）	「北海道・北東北の縄文遺跡群」世界遺産国内推薦候補に選定。ユネスコに推薦書提出
令和2年（2020）	世界遺産登録のイコモス（国際記念物遺跡会議）現地調査
令和3年（2021）	5月26日登録勧告、7月27日世界遺産に登録

写真出典・所蔵・提供機関一覧

図1・2・4・5・7・8・10 ～ 14・19 ～ 23・25～27・29・30・32～35・37・38・40・45 ～ 48・52 ～ 67・コラム3・コラム6 一戸町教育委員会

図3・6・15・16・28・31・42 ～ 44・50 特定非営利活動法人いちのへ文化・芸術NPO

図17 一戸町教育委員会 2015

図18 一戸町教育委員会 2003

図24 山田 2000

図41 一戸町教育委員会／八戸市博物館／岩手県／軽米町教育委員会

コラム1 北海道新聞・北海道博物館 2003を改変／一戸町教育委員会

コラム4 一戸町教育委員会／公益財団法人岩手県文化振興事業団埋蔵文化財センター／青森県立郷土館蔵青森県指定文化財

コラム7 特定非営利活動法人いちのへ文化・芸術NPO／一戸町教育委員会

1．御所野遺跡と世界遺産の仲間たち JOMON ARCHIVES／外ヶ浜町教育委員会／青森県立郷土館／七戸町教育委員会／青森県教育委員会／洞爺湖町教育委員会／青森市教育委員会／北海道教育委員会／つがる市教育委員会／八戸市教育委員会／森町教育委員会

＊その他は著者提供

著者紹介

■高田和徳（たかだ　かずのり）

特定非営利活動法人いちのへ文化・芸術 NPO 代表理事・御所野縄文博物館前館長。

1949 年生まれ。

明治大学文学部史学地理学科地理学専攻卒業。

岩手県教育委員会文化課、一戸町教育委員会社会教育課、世界遺産登録推進室長兼御所野縄文博物館長を経て、現職。御所野遺跡が世界遺産登録されるまでの考古学調査・研究および市民団体組織を牽引した。

主な著書

『火と縄文人（ものが語る歴史 34)』（同成社、2017 年）

『縄文のイエとムラの風景』（新泉社、2005 年）

『文化遺産と〈復元学〉』（共著、吉川弘文館、2019 年）

『縄文遺跡の復原』（共著、学生社、2000 年）

■やました　こうへい

デザイナー・絵本作家

1971 年熊本市生まれ 神戸市育ち。大阪芸術大学美術学科卒業。

グラフィックを中心に様々なデザイン活動をおこないながら、生き物をモチーフにした絵本の制作もおこなっている。主な作品に『きょうりゅうゆうえんち』（ポプラ社、2023 年)、『ファーブル先生の昆虫教室』文：奥本大三郎（ポプラ社、2016 年・2017 年・2019 年・2020 年)、『ちびクワくん』（ほるぷ出版、2020 年）などがある。日本グラフィックデザイナー協会会員。

www.mountain-mountain.com

御所野遺跡ものがたり

2024年9月10日発行

著　者　高　田　和　徳
発行者　山　脇　由　紀　子
印　刷　亜　細　亜　印　刷　㈱
製　本　協　栄　製　本　㈱

発行所　東京都千代田区平河町1-8-2
（〒102-0093）山京半蔵門パレス　㈱同成社
TEL　03-3239-1467　振替　00140-0-20618

ISBN978-4-88621-988-6 C0021